ÂMES ET CORPS

DU MÊME AUTEUR

Les variations Goldberg, romance, Seuil, 1981 ; Babel n° 101.

Histoire d'Omaya, Seuil, 1985 ; Babel n° 338.

Trois fois septembre, Seuil, 1989 ; Babel n° 388.

Cantique des Plaines, Actes Sud/Leméac, 1993 ; Babel n° 142.

La virevolte, Actes Sud/Leméac, 1994 ; Babel n° 212.

Instruments des ténèbres, Actes Sud/Leméac, 1996 ; Babel n° 304.

L'empreinte de l'ange, Actes Sud/Leméac, 1998 ; Babel n° 431.

Prodige, Actes Sud/Leméac, 1999 ; Babel n° 515.

Limbes/Limbo, Actes Sud/Leméac, 2000.

Visages de l'aube, Actes Sud/Leméac, 2001 (en collaboration avec Valérie Winckler).

Dolce agonia, Actes Sud/Leméac, 2001 ; Babel n° 548.

Une adoration, Actes Sud/Leméac, 2003 ; Babel n° 650.

LIVRES POUR ENFANTS

Véra veut la vérité, École des Loisirs, 1992 (avec Léa).

Dora demande des détails, École des Loisirs, 1993 (avec Léa).

Les souliers d'or, Gallimard, « Page blanche », 1998.

Tu es mon amour depuis tant d'années, Thierry Magnier, 2001 (en collaboration avec Rachid Koraïchi).

ESSAIS

Jouer au papa et à l'amant, Ramsay, 1979.

Dire et interdire : éléments de jurologie, Payot, 1980 ; Petite Bibliothèque Payot, 2002.

Mosaïque de la pornographie, Denoël, 1982 ; Payot, 2004.

À l'amour comme à la guerre, Correspondance, Seuil, 1984 (en collaboration avec Samuel Kinser).

Lettres parisiennes : autopsie de l'exil, Bernard Barrault, 1986 (en collaboration avec Leïla Sebbar) ; J'ai lu, 1999.

Journal de la création, Seuil, 1990 ; Babel n° 470.

Tombeau de Romain Gary, Actes Sud/Leméac, 1995 ; Babel n° 363.

Désirs et réalités, Leméac/Actes Sud, 1996 ; Babel n° 498.

Nord perdu suivi de *Douze France*, Actes Sud/Leméac, 1999 ; Babel n° 637.

Professeurs de désespoir, Actes Sud/Leméac, 2004.

THÉÂTRE

Angela et Marina (en collaboration avec Valérie Grail), Actes Sud-Papiers/Leméac, 2002.

NANCY HUSTON

ÂMES *et* CORPS

Textes choisis 1981–2003

LEMÉAC / ACTES SUD

Leméac Éditeur remercie le ministère du Patrimoine canadien, le Conseil des arts du Canada, la Société de développement des entreprises culturelles du Québec (SODEC) et le Programme de crédit d'impôt du Gouvernement du Québec (Gestion SODEC) du soutien accordé à son programme de publication.

ISBN 2-7609-2399-1

Couverture : Photographie de Nancy Huston © Mihai Mangiulea

© Nancy Huston 2004

© Copyright Ottawa 2004 par Leméac Éditeur Inc.
4609, rue d'Iberville, 3ᵉ étage, Montréal (Québec) H2H 2L9
Dépôt légal – Bibliothèque nationale du Québec, 3ᵉ trimestre 2004

© Actes Sud, 2004
pour la France, la Belgique et la Suisse
ISBN 2-7427-5188-2

Imprimé au Canada

À Annie L.

NOTE AUX LECTEURS

Âmes et *corps. Textes choisis 1981-2003,* c'est plus ou moins la suite de *Désirs* et *réalités. Textes choisis 1979-1994,* recueil publié chez Leméac en 1995 (et repris chez Actes Sud).

Seulement, tout en avançant comme nous tous de près d'une décennie dans le temps, il remonte en arrière aussi, chevauchant les dates du précédent recueil. L'explication en est que les textes composant la quatrième partie « La maman, la putain... et le guerrier », écrits au début des années quatre-vingt, étaient intégrés à une correspondance avec l'historien américain Samuel Kinser : *À l'amour comme à la guerre* (Seuil, 1984) ; encore disponible lors de la publication de *Désirs* et *réalités,* ce livre est aujourd'hui épuisé. Sans aller jusqu'à réécrire de fond en comble ces textes anciens (car ils reflètent bien leur époque), je les ai retravaillés pour qu'ils puissent tenir debout tout seuls.

Par ailleurs j'ai retrouvé « L'attribut invisible », oublié au moment d'organiser le précédent recueil, et j'ai eu envie de le ressusciter aussi.

Ces textes sont des jalons sur mon chemin de romancière et d'expatriée, de mère et d'intellectuelle, de rêveuse et de réaliste, d'âme et de corps. Ils seront parlants pour vous, ou non, selon que votre chemin épouse le mien, le croise ou en diverge ; certains vous seront peut-être utiles, d'autres vous laisseront de glace ou vous jetteront dans le feu de la colère et c'est ce qu'il faut ; ils sont à prendre ou à laisser, à prendre *et* à laisser, en toute liberté, comme toujours.

N. H., janvier 2004

I
SOI PLURIEL

DÉRACINEMENT DU SAVOIR
UN PARCOURS EN SIX ÉTAPES

Ça faisait longtemps qu'il s'adonnait au jeu de la vie et il y avait des parties de lui qui étaient si différentes des autres parties qu'il avait du mal à comprendre qu'elles puissent toutes relever du même soi. Mais c'était ainsi – et, même si ses parties disparates le surprenaient souvent, il prenait désormais plaisir à ce carrousel qu'était son âme.

F. X. TOOLE,
Rope Burns.

Première phase : comment m'est venu l'amour des idées

Les sciences pures c'est à mon père qu'elles appartenaient ; aussi loin qu'il m'en souvienne, mon père a partagé avec moi ses passions de physicien et de mathématicien. Depuis de petites expériences comme la surface de l'eau qui peut être plus haute que le bord du verre, ou la cuiller qui, posée avec douceur, peut flotter sur la soupe, jusqu'aux études des séries de chiffres, des équations élégantes ou ludiques, des solides géométriques et de leurs permutations époustouflantes, et enfin, quand j'eus quinze ou seize ans, des travaux archi-abstraits dans la « quatrième dimension ». Toujours j'ai gardé une sorte d'excitation pour ce type de savoir-là, savoir exaltant car irréfutable, portant sur l'harmonie secrète du monde. *Pourquoi l'harmonie ?* Cette question a longtemps obsédé mon père. Pourquoi l'harmonie ? (Mais pourquoi aussi, parfois, l'absence d'harmonie… *pourquoi le chaos ?* Pourquoi ne pourra-t-on jamais découvrir une régularité dans l'occurrence des chiffres premiers ? C'est stupéfiant.)

Ma mère, pour sa part, était portée sur les arts : c'était une bonne pianiste, une grande lectrice, amateur de théâtre, de ballet, d'opéra…

Pour autant, il serait trop facile de dire que ma mère a fabriqué l'hémisphère droit de mon cerveau et mon père, l'hémisphère gauche, et que mon propre sentiment d'être douloureusement partagée entre théorie et fiction reflète mon refus de choisir entre ces deux êtres-là, qui se sont séparés quand j'ai eu six ans. Non : le fait est que ma mère est dotée d'une intelligence plutôt froide et d'un caractère rationnel, efficace, terre-à-terre, alors que mon père est un grand émotif, un homme tourmenté par des doutes et des interrogations spirituels ; s'il s'est intéressé à la physique, m'a-t-il souvent dit, c'était surtout comme moyen d'accès à la métaphysique.

Toujours est-il qu'après le divorce, c'est mon père qui (avec l'aide d'une nouvelle épouse) a élevé les trois enfants. Dans une interversion parfaite du schéma de la psychanalyse classique, la mère partie au loin, joignable exclusivement par lettres, est devenue *symbole* (liée à l'écriture) alors que le père, très présent dans la vie de tous les jours, relevait plutôt de l'ordre du *réel*.

Au lycée (dans le New Hampshire, où nous avons déménagé en 1968, quittant le Canada), j'eus mes premiers cours de littérature à proprement parler, et je n'en ai pas eu de meilleurs depuis : la directrice de l'école nous a lu à voix haute *toute* la *Divine comédie* de Dante ; le professeur de français nous a initiés aux pièces de Sartre et de Cocteau ; avec le professeur de théâtre nous avons appris par cœur des soliloques de *Macbeth* et de *Hamlet* et étudié ligne à ligne le *Songe d'une nuit d'été* afin d'apprendre à en entendre la richesse polysémique, à vraiment *voir* et apprécier la pyrotechnie verbale ; avec notre jeune professeur d'anglais dont l'énorme bibliothèque était à notre disposition en permanence, on a découvert Tennessee Williams, Robert Coover, Richard Brautigan, les haïku japonais, Anatole France, Jerzy Kozinski, Walt Whitman... et, également, notre propre capacité d'écrire. On a appris que la littérature parlait de mort, de sexe, de folie, de peur, de *nous*, et que, pour peu qu'on aborde la page (blanche ou imprimée) avec toutes nos forces vivantes, elle était à notre portée.

Pas une once de théorie littéraire. Comment est-ce possible ? De la passion, de la compassion, de l'écoute, de la communication : s'agissant de littérature, *rien* de ce que j'ai appris dans ce singulier petit lycée au fond des bois n'a été démenti depuis.

*Deuxième phase : aspiration générale (et vouée à l'échec)
au statut d'Artiste*

Commencent alors mes études universitaires, impures et bigarrées elles aussi, je vous passe les détails. Mais par exemple, sur la côte ouest du Canada, un cours sur la « Littérature de l'absurde » (Beckett, Camus, Ionesco) ; dans le Bronx, un cours sur *Thérèse Desqueyroux* et *Tartarin de Tarascon* ; et enfin, dans une petite fac chic et chère de la banlieue huppée de New York, un cours intitulé « La Psychologie de la créativité » (lectures de Freud, Jung et autres Simone de Beauvoir), et un atelier d'écriture au cours duquel j'appris – enfin ! il était temps ! – l'angoisse de la page blanche, le « blocage de l'écrivain », la rivalité, l'impuissance, la rage et la jalousie littéraires, et le désir (absurde, évidemment, pour une jeune fille de dix-neuf ans) d'être Écrivain avec un grand E, d'écrire tout de suite un chef-d'œuvre... Oui : j'appris, en somme, à ne plus oser écrire du tout, et à vouloir, à défaut d'écrire, mourir.

Troisième (courte) phase : à bas les illusions de l'Art ; vive la Révolution et la Théorie !

À vingt ans, je suis venue passer à Paris la troisième année sur quatre de mon cursus universitaire. Bien m'en a pris, car en France la situation était tout autre. Dans ce pays, *personne* ne rêvait d'être romancier, ce qui simplifiait les choses. Quand je racontais à mes nouveaux amis français mon projet d'écrire, un jour, de la fiction, ils étouffaient un rire poli. – Non non, m'assuraient-ils. Ce n'est pas ça qu'il faut faire. – C'est quoi ? – La révolution. – Et comment s'y prend-on ? demandais-je. – Mais avec des théories, voyons ! me disaient ces amis, dont la plupart avaient fait leurs études à l'École normale de la rue d'Ulm ; c'est au *Normal Bar* que je vécus mes toutes premières DPE (discussions politiques échevelées). Il ne s'agissait plus de rêver ni de faire rêver, il s'agissait de lire et de discourir. Si l'on ne pouvait s'empêcher d'écrire, au moins fallait-il écrire de la Thé-o-rie ! Aux chiottes les romantiques angoisses existentielles des étudiants petits-bourgeois. Ouf !

J'étais heureuse, très heureuse même, d'apprendre que tous mes malheurs découlaient du régime capitaliste dans lequel j'avais vécu jusqu'alors, et que, dans le monde nouveau, ne m'étant pas trop compromise avec l'ennemi de classe, je pourrais partager les joies du prolétariat au pouvoir. Je m'attelai donc à de nouvelles lectures : finis les haïku japonais, Shakespeare, France et Whitman ; à toute vitesse, il fallait ingurgiter tout Marx et Engels, mais aussi Foucault et Althusser, ainsi que Derrida et Barthes, Metz et Kristeva, Deleuze et Guattari,

Jacques Lacan... Arrivent là-dessus, dans la même foulée, le même millésime exceptionnel de 1975, les idées d'Hélène Cixous et de Luce Irigaray, d'Annie Leclerc et de Marie Cardinal, ajoutant un grain de sel féministe à la déjà goûteuse ratatouille de théories ! Oh la joyeuse pagaille ! Oh que tout cela était ardu et palpitant ! Surtout pour comprendre comment concilier les machines désirantes de Deleuze avec les soviets et l'électricité de Lénine, le stade du miroir de Lacan avec la révolution permanente de Trotsky, le plaisir du texte barthésien avec la plus-value marxiste, l'encre blanche de Cixous avec le spéculum d'Irigaray, ah mais tu ne comprends pas ? ah mais c'est que t'es bête, t'es bête, essaie encore, lis plus attentivement, prends des notes, écoute bien, ça va venir, ça va venir...

Quatrième phase : théorie et fiction en alternance bancale

Quand, dans cette même année 1975, Roland Barthes m'accepta dans son « petit séminaire » à l'École des hautes études en sciences sociales, ma joie fut sans bornes. Enfin j'étais entrée dans « la vraie vie » ; je fréquentais les plus grands penseurs du plus grand pays des penseurs – les théoriciens qui, par la puissance irrésistible de leurs idées, allaient refaire le monde. Je n'avais plus d'états d'âme – ni d'ambitions littéraires, du reste ; en l'espace de deux ans j'étais devenue une véritable « intello de gauche » parisienne, c'est-à-dire une femme dotée d'une tête et d'un sexe avec rien entre les deux, une femme qui savait parler et faire l'amour parce que ces activités étaient (chacune à sa manière) révolutionnaires, mais qui s'insurgeait contre le couple et surtout contre les enfants, la famille était réactionnaire, l'Église aussi, le roman aussi, tiens, oui, au fond, dans le monde post-révolutionnaire on n'aurait plus besoin de se raconter des histoires, en attendant on pouvait encore lire Flaubert et Proust, Baudelaire et Musil, mais ces écrivains étaient tenus à distance de deux manières symétriques et inverses, simultanément piédestalisés et déboulonnés. Oui, car d'une part ils étaient idéalisés, cités, portés aux nues – mais, d'autre part, ils étaient *analysés à mort*. Peut-on concevoir projet à la visée plus destructrice pour la littérature que le *S/Z* de Roland Barthes, qui décortique phrase par phrase une célèbre nouvelle de Balzac – non pas, comme notre prof de lycée avec Shakespeare, pour nous en faire entendre la richesse, en sonder les profondeurs, mais, presque au contraire, pour en isoler les « codes » (herméneutiques, symboliques, d'action, etc.), en dénoncer les sous-entendus de classe, les présupposés idéologiques, en débusquer les « mythes » ? J'étais éblouie. Enthousiaste. Ah, ça ! me disais-je. Qui l'eût cru ? Comme pour les équations, les harmonies cachées de mon père.

Du reste, même s'il vomissait le familialisme, Barthes a sûrement été pour moi à certains égards un deuxième père. De façon incongrue, je me suis mise à le traduire ! Dès 1976, est parue dans une revue littéraire new-yorkaise ma traduction d'une de ses mythologies jusque-là inédites en anglais (« Billy Graham au Vél d'Hiv ») ; j'ai aussi traduit dans sa totalité (rien que pour moi !) *La tour Eiffel*, et j'ai rêvé d'être sacrée par lui traductrice officielle de *L'empire des signes* (par bonheur ça n'a pas marché). Deux années durant, j'ai suivi à l'École des hautes études en sciences sociales son séminaire élargi consacré au Discours amoureux et son séminaire restreint sur Les intimidations du langage, sur l'Opéra et sur Pratique, fonction et idéologie de la rature... En 1977 j'ai assisté à sa Leçon inaugurale au Collège de France puis à son séminaire sur Le Neutre (je dois avoir mes notes encore, quelque part)...

Que me reste-t-il de tout cela ? À vrai dire, beaucoup (tout ce qui, chez Barthes, n'est pas *système*) : l'amour du mot précis, les réflexions sur le cliché, sur l'opposition Histoire/Nature, sur la communication phatique, sur les performatives, la redondance, l'hystérie, l'arrogance, le stéréotype, la doxa. C'est en partie grâce à Barthes (et un peu plus tard, pour d'autres raisons, grâce à Todorov) que j'ai pu me déprendre du marxisme. La démarche et le regard barthésiens m'ont formée ; ils font partie de moi.

Mais il n'y avait pas que Barthes, et je ne voudrais pas, ici, faire de la caricature – ni de moi-même, ni de l'époque. Si je sonde ma mémoire, si je parle sans sarcasme, je suis obligée de reconnaître que ce fut pour moi un moment d'effervescence exceptionnelle, une période d'apprentissage exaltante ; impossible, aujourd'hui, de dire que je le regrette, ou que cela n'a plus rien à voir avec ce que je suis. Mes intérêts théoriques de cette époque (1974-1979) balayent tout le spectre des sciences humaines. Je suis la mode (*grosso modo* structuraliste) mais, non contente de la suivre, je la dévore. Poétique, linguistique, psychanalyse, ethnologie, anthropologie, etc. Voici, de ces années-là, en vrac, mes lectures les plus marquantes : les travaux de Roman Jakobson sur l'aphasie, le son et le sens ; *Figures* de Genette, *Tristes tropiques* de Lévi-Strauss, tout René Girard, *L'amour et l'occident* de Denis de Rougemont, des tomes en vrac de Freud, Deleuze et Guattari, Lacan (dont je suis par ailleurs le séminaire en 1977-1978), Bataille, *L'érotisme, La littérature et le mal* ; Mary Douglas, *La saleté*, Margaret Mead, *Coming of Age in Samoa*, pour ne rien dire des travaux de Mauss, Saussure, Malinowski, etc.

C'est l'euphorie, c'est l'activisme : tout en donnant des cours d'anglais pour gagner ma vie, je milite dans le mouvement des femmes et commence à écrire en

français : mes textes paraissent dans *Les Temps modernes,
Sorcières, Histoires d'elles, Les cahiers du GRIF* ; dès 1978,
j'ai un contrat avec une maison d'édition pour écrire un
livre, un essai : *Jouer au papa et à l'amant. De l'amour des
petites filles.* Parallèlement, j'adapte pour la publication
mon mémoire de l'EHESS, *Dire et interdire : Éléments de
jurologie.* J'ai été authentiquement passionnée (et je le
suis toujours) par ce travail sur l'interdiction linguistique.
Et si l'on regarde les titres de mes essais subséquents
(*Mosaïque de la pornographie, À l'amour comme à la guerre*),
il est clair qu'ils prolongent et approfondissent cette
première réflexion sur le tabou et sa transgression.
L'idée du « mal nécessaire » – lié, directement ou
indirectement, à l'abaissement du genre féminin – m'a
absorbée voire obsédée une bonne décennie durant.

Ce n'est qu'en 1980 (l'année de la mort de Roland
Barthes, mais celle, aussi, des débuts de ma vie avec
Tzvetan Todorov), que j'ose me lancer enfin, sans filet,
dans la fiction ; j'écris *Les variations Goldberg.* Mais...
impossible, évidemment, après une formation pareille,
d'écrire un roman « réaliste », « à l'américaine ». J'ai
une conscience trop aiguë des artifices, des structures,
des voix et des « points de vue »... J'ai tendance donc
(comme Kundera ou Cortázar dans certains de leurs
livres) à associer le lecteur à mes jeux formels. *Les
variations Goldberg* est composé de trente-deux monologues intérieurs. Il ne s'y passe rien et... tout. Allégresse
sans précédent, que l'écriture de ce premier roman !
Gérard Genette me dit que c'est un « petit chef-
d'œuvre », ce qui me ravit. Ma voie paraît toute tracée.

Je partage désormais la vie de T. T. (dont, pour des
raisons qui m'échappent, je n'avais pas lu le moindre
mot jusque-là) qui deviendra aussi, au fil des ans, un
véritable partenaire de la pensée. Une chose importante

nous rapproche à cette époque, à savoir que nous nous servons tous deux, pour écrire, exclusivement de la langue acquise, le français. Par ailleurs, T. T., lui-même penseur rigoureux, scientifique et serein, me libérera progressivement du besoin d'écrire de la théorie.

Mais, comme cela arrive souvent (je pense à ce que dit Arthur Koestler de ses rapports avec le Parti communiste), avant l'abandon il y a eu d'abord une *exacerbation* du travail théorique. Cela a coïncidé, d'une façon qui pourrait sembler paradoxale, avec un autre événement important dans ma vie : la maternité. Dans nul autre livre comme dans *Mosaïque de la pornographie*, écrit en 1982 tout au long de ma première grossesse, je n'ai mis à profit de façon aussi systématique mon savoir en matière de théorie littéraire. Décorticage d'un genre, dans ses formes « basses » et « élevées », masculines et féminines, avec analyse narratologique impitoyable des points de vue, des contenus implicites, des identifications sollicitées, etc. Le livre fut un flop total.

À partir de là, j'enseigne la « sémiologie » dans mon *alma mater*, Sarah Lawrence College, et, surtout, au long des années quatre-vingt, la « théorie féministe » à l'université de Columbia à Paris. En quoi cela consiste-t-il, au juste ? Je pense n'avoir pas trop à en rougir. Ce que je transmettais à mes étudiantes, ces années-là, n'était pas une idéologie, une doctrine, une perspective dogmatique et « politiquement correcte ». Je me servais plutôt de ce que j'avais appris chez Barthes & Cie pour leur faire découvrir une kyrielle d'auteurs : Sade, Bataille, Duras, Cixous, Irigaray, Kristeva, etc.

Pendant ce temps, très peu de fiction : *Histoire d'Omaya* seulement (1985), qui arpente l'esprit affolé, tourmenté, d'une jeune femme victime d'un viol. Menacée, sans doute, par le réel irréfutable de la maternité, prise malgré moi, peut-être, par la même peur d'engloutissement que ma propre mère, je déploie tout au long de cette période une activité théorique frénétique et volontariste ; j'écris des essais, multiplie les cours et les conférences ; en 1983, je dirige, au Centre international des études sémiologiques à Urbino (Italie), un colloque sur Les Femmes et les signes. Certes, je m'y amuse (j'écris une pièce de théâtre où s'affrontent diverses approches théoriques de *Pierre : ou, les ambiguïtés* de Herman Melville), mais enfin, pour m'amuser ainsi, je délaisse quinze jours ma fillette âgée de dix mois !

Je devrais préciser ici que dans *tous* mes essais, depuis *Jouer au papa et à l'amant* (1979) jusqu'à *Nord perdu* (2000), loin d'adopter un ton universitaire aux visées sévèrement scientifiques, j'essaie de parler de façon personnelle ; j'inclus à chaque fois de petites « vignettes » sur ma vie quotidienne, mes lectures, mon enfance. Il y a nettement plus d'autobiographie dans mes essais que dans mes romans ! Le « je » si séduisant de Roland Barthes a dû me servir d'exemple, mais ma démarche était également cautionnée par le féminisme (le privé est politique) et par le structuralisme de Lévi-Strauss (l'observateur transforme par sa présence le champ observé). Très importantes pour moi à l'époque étaient les *conditions* du surgissement (ou non) des idées et des œuvres...

Le *je* que j'employais dans mes essais, totalement nu et intime, sans protection aucune, était par ailleurs l'un des effets du *savoir déraciné* : en effet, cette impudeur était facilitée par l'emploi de la langue étrangère, en partie parce que celle-ci n'était pas (fantasmatiquement, du moins) comprise de mes parents, mais surtout parce qu'elle n'était *justement pas*, pour moi, de l'ordre de l'intime. Je pouvais écrire avec tranquillité, voire avec indifférence, des choses qu'il m'eût été impossible de révéler dans ma langue maternelle.

Puis en 1986, au moment même où était publiée ma correspondance avec Leïla Sebbar, *Lettres parisiennes, autopsie de l'exil*, je suis tombée malade. Myélite aiguë d'origine inconnue. Jambes engourdies. Je ne sais plus marcher sans tituber. Rien ne « marche » plus. Temps de réflexion. Temps de bilan. Pour moi, cette maladie neurologique sera inextricablement liée à ma prise de conscience de l'exil. Je la vis comme une mise en garde : Tu as gelé tes racines, ta langue, ton enfance... Un romancier sans enfance ne peut rien faire de valable. Tu te trompes de chemin.

Mais le tournant est difficile à prendre.

Dès 1987, *Trois fois septembre* esquisse un retour vers les origines et vers la langue anglaise. Le livre incarne une position linguistique presque perverse. Écrit par une anglophone en français, il est constitué des lettres et journaux intimes d'une jeune Américaine, en principe écrits donc en anglais mais « traduits » par la meilleure amie de celle-ci, une Française, au fur et à mesure qu'elle les lit à voix haute à sa mère. L'écriture de *Trois fois septembre* me plonge dans l'insomnie, et les somnifères me conduisent au bord de l'effondrement mental... Le livre n'est pas bon ; mon éditeur le rejette.

L'année suivante, enceinte à nouveau, tout en retravaillant ce roman endommagé par ma propre fragilité psychique, j'entame encore un grand essai, *Journal de la création* : exploration de ce que j'appelais à l'époque le *mind-body problem*, c'est à la fois un journal de ma grossesse, une tentative pour comprendre la crise de 86-87, et une étude de la répartition des rôles corps/esprit chez une dizaine de couples d'écrivains célèbres. Le livre paraît en 1990, et marque pour moi une rupture.

À partir de ce moment, je m'appliquerai consciemment à *déraciner le savoir* dans mon âme, c'est-à-dire à l'arracher par les racines, à le *déchouquer* comme disent les Haïtiens à propos du duvaliérisme. Mon critère, maintenant que j'ai eu la chance de prendre conscience de ma mortalité, est devenu : « Cela m'aide-t-il à vivre ? » Et il m'est de plus en plus évident que ni les écrits de Lacan, ni ceux de Foucault, ni même ceux de Barthes ne m'aident à vivre. Ceux de Rilke, si ; et ceux de Virginia Woolf ; et ceux d'André Schwartz-Bart. S'il fallait résumer en une phrase ce phénomène de « décristallisation » théorique (sans vouloir généraliser à partir de mon propre cas), je le ferais ainsi : en fin de compte, à la différence des savants, *je crois en l'existence de l'amour, et non seulement du « discours amoureux »*. À partir de là, je peux faire des romans.

Dès l'automne 1989, pendant que le *Journal de la création* est sous presse, je commence à écrire *Cantique des plaines*. Cela s'appelle en fait *Plainsong*. C'est en anglais. Même s'il n'est guère de facture classique (dans une chronologie en spirale, une jeune femme « invente » la vie de son grand-père, à partir du peu qu'elle en sait et à l'aide d'un maigre manuscrit qui lui a été remis à sa mort), c'est un livre qui a de vrais personnages, une vraie intrigue, et qui parle d'amour au premier degré. La page est enfin tournée.

Cinquième phase : je préfère la fiction

1990-1993. Grand silence pendant presque trois ans : impossible de trouver un éditeur pour *Plainsong/Cantique des plaines*, que ce soit en anglais ou en français. La mort dans l'âme, je commence à écrire (en anglais, de nouveau) *La virevolte*.

« *Life begins at forty* », dit une chanson américaine que j'aime bien. En 1993 j'ai quarante ans et j'assume enfin la littérature qui était mon projet en débarquant à Paris vingt ans plus tôt. La division ne s'évanouit pas pour autant ; elle ne fait que se déplacer : au lieu de passer entre théorie et fiction, elle passe désormais entre anglais et français, car je me suis aperçue que le fait de *traduire* mes livres, dans un sens ou dans l'autre, les améliorait... *Plainsong/Cantique des plaines* paraîtra simultanément en France, au Canada anglais et au Québec ; alors qu'il s'agit de mon dixième livre, ma vraie vie d'écrivain démarre à ce moment, car en France et au Québec j'ai trouvé des éditeurs qui ont confiance en moi. Au Canada le livre reçoit le prix du Gouverneur général... mais dans sa version traduite ! ce qui m'attire les foudres de quelques nationalistes québécois et me rend subitement, désagréablement, célèbre. Rarement je me suis sentie aussi schizophrène que le jour de la remise de ce prix où, sur l'estrade de la Bibliothèque nationale à Ottawa, devant un public majoritairement anglophone, je me trouve dans l'obligation de lire en français un extrait d'un livre que, *pour une fois,* j'ai écrit en anglais !

Vers cette même époque, heureusement, je découvre l'œuvre d'un autre grand impur, un autre « corps étranger dans la littérature française » comme il se qualifiait lui-même, un auteur aux langues et aux identités multiples qui aura sur moi un impact énorme : je parle bien sûr de Romain Gary. Entre 1993 et 1995, je lis ses trente et un romans et son unique essai *Pour Sganarelle,* qui m'inspirera une méfiance accrue vis-à-vis de la théorie et renouvellera définitivement ma foi dans le roman. Je rends hommage à Gary dans un petit livre

(*Tombeau de Romain Gary*), dans plusieurs émissions de radio et dans deux petits films pour la télévision ; il ne me quittera plus.

Ceci dit, *Virevolte* à part (jusqu'ici le seul de mes romans à être un récit pur), les traces de ma formation théorique perdurent dans ma fiction. *Instruments des ténèbres* (écrit en 1994-1995 en bilingue, alternant chapitres en anglais et en français) met en scène une romancière qui écrit un roman ; *L'empreinte de l'ange* (écrit en français) est émaillé d'interventions directes de l'auteur/narrateur, une voix qui demeure présente pour « tenir compagnie » au lecteur pendant sa descente aux enfers ; *Prodige* est une série de monologues intérieurs, juxtaposés pour former une polyphonie ; et dans *Dolce agonia* (écrit en anglais) le narrateur est Dieu lui-même, « auteur » de toutes choses (clin d'œil, entre autres, aux débats littéraires autour du Nouveau Roman).

J'assume mon statut de romancière impure, oui... Mais cela ne va pas sans nostalgie. Nostalgie pour l'innocence des écrivains « purs » comme Beckett ou Duras, qui ne se sont jamais « salis » au contact de l'université, de la réflexion abstraite sur la littérature. Mais nostalgie aussi, et même immense nostalgie parfois, pour le Savoir, les certitudes scientifiques ! Quand, voici deux ans, Marina Yaguello m'a invitée à participer à un colloque sur « la langue maternelle », j'ai bu comme du petit lait les communications des autres : sur la différence entre Brodsky et Nabokov dans leurs poèmes en anglais, par exemple ; ou sur l'activité cérébrale des bilingues selon qu'ils se servent de la langue maternelle ou de la langue acquise... Quel soulagement, *des gens qui savent des choses* et qui partagent ce savoir, comparé au monde littéraire où tous les critères sont désespérément subjectifs !

Quand je suis moi-même en train d'écrire un roman, je préfère (de loin) lire des essais. Ces années-ci, plutôt que la linguistique ou l'anthropologie de ma jeunesse, j'ai tendance à lire des vulgarisateurs scientifiques doués : Stephen Hawking (*Une brève histoire du temps*) et Stephen Jay Gould (*Le chaos*), Alice Miller (*C'est pour ton bien*), ou encore des psychiatres/neurologues comme Oliver Sacks et Boris Cyrulnik...

Il m'arrive encore, assez rarement, de « commettre » un article de type universitaire (le plus récent, intitulé « Bonne foi, mauvaise conscience », porte sur l'interaction entre l'art et la politique chez Tolstoï et Sartre). Mais ce n'est pas de la théorie littéraire ; et du reste, s'il y a un champ de réflexion où je ne m'aventure plus *jamais,* c'est la théorie littéraire ! Et ce n'est pas par hasard. Il y a une divergence profonde, voire une incompatibilité radicale, entre écrire un roman et réfléchir sur les structures romanesques. Pour écrire un roman, il faut *ne pas trop savoir ce qu'on fait.* Ce qui m'amène tout naturellement à mon dernier chapitre...

Sixième phase : l'arroseur arrosé : on fait des théories sur moi

En effet : romancière, je ne veux surtout pas comprendre « comment ça marche », c'est-à-dire essayer d'expliquer, comme le voudraient tant de mes lecteurs, *comment* et *pourquoi* je fais ce que je fais... sinon, j'ai peur de ne plus pouvoir le faire. La « poétique », plus que tous les autres savoirs, il a fallu la déraciner une fois pour toutes.

Autant j'assume, j'embrasse, je *contiens* les grandes théories qui m'ont formée dans les années 70-80, et autant je peux respecter, avec un certain effroi, un auteur comme le Sud-Africain J.-M. Coetzee qui écrit tantôt de grands romans et tantôt des études littéraires brillantes, autant je sens qu'il faut fuir comme la peste les analyses « savantes » de ce que *moi* j'écris. Elles agissent sur moi comme un poison, m'incitent à me poser toutes sortes de questions paralysantes sur mes thèmes de prédilection, mes manies, mes tics de style, les liens entre ma vie et mon œuvre, etc. (ainsi le colloque d'avril 2001 à la Sorbonne, justement intitulé *Nancy Huston : Vision et division*). Là, je sens planer sur mon travail une véritable *menace* et je suis obligée de me protéger : discourez à mon sujet si vous le désirez mais de grâce, épargnez-moi vos conclusions !

J'éprouve un malaise extrême devant, non pas tous, mais presque tous les travaux universitaires que j'ai pu lire à mon sujet (et je ne vois pas pourquoi ils ne seraient pas représentatifs de ce que l'on a produit ces dernières années au sujet des autres auteurs, vivants ou morts) : je les trouve affligeants de schématisme (par exemple ce prof de lettres américain d'après lequel, dans *L'empreinte de l'ange*, Raphaël qui joue de la musique classique représente la bourgeoisie élitiste et réactionnaire, alors qu'Andras qui aime le jazz représente la classe des opprimés… aucun lecteur « normal » ne m'a jamais dit une chose aussi stupide !). Un artiste reste « baba » devant de tels énoncés, de telles aberrations intellectuelles. C'est comme si, à une femme qui vous donnait à manger un gâteau au chocolat amoureusement préparé, vous réagissiez en lui donnant votre avis sur la quantité et la marque de farine, de beurre, de sucre qu'elle y avait mis. *Mais…* aurait-elle envie de vous dire… *mais… est-ce que c'était bon ? Est-ce que vous avez aimé ?* C'est tout ce qu'un auteur de roman a envie de savoir. Il ne veut pas que vous soyez malins, il veut que vous soyez émus.

C'est que la malice s'enseigne, et l'émotion, non. Pas plus que dans les hôpitaux français, on ne sait parler d'émotion dans le système scolaire français… J'observe avec désolation, souvent, l'enseignement littéraire que reçoivent mes propres enfants (dû en partie – ô ironie ! – à la systématisation des idées de leur propre père). À bien des égards, je trouve cet enseignement moins stimulant et moins enrichissant que celui que j'ai reçu dans le New Hampshire il y a trente ans. Je supporte d'écouter ma fille faire une analyse savante des « points de vue » dans tel passage des *Confessions* de Rousseau, je me réjouirai avec elle, bien sûr, si elle obtient une bonne note à son épreuve d'hypokhâgne, mais je sais que Rousseau lui-même eût été totalement ahuri de voir son texte abordé de cette manière. Car en écrivant ce passage, il ne pensait pas à cela, et, surtout, *il ne voulait pas communiquer cela* ; en obligeant ma fille à se concentrer exclusivement là-dessus, on lui fait perdre le vrai sens de la scène. Ou encore : après avoir étudié, mettons, *Lorenzaccio,* mon fils aura appris des choses sur la famille des Médicis au XVIe siècle, ou sur le mouvement romantique au XIXe, ou sur la structure scénique de la pièce… mais toute velléité d'identification avec le jeune Musset (malaises existentiels, sentiment d'irréalité vertigineuse) sera sévèrement réprimée. À quoi sert alors la littérature ?[*]

Pour prendre un autre exemple… De mon point de vue d'auteur du *Journal de la création,* je trouvais

---

[*] Il dure depuis longtemps, ce dialogue de sourds entre romanciers et critiques ; le 14 avril 1880, déjà, le romancier allemand Theodore Fontane écrivait ces lignes à l'accent familier : « Le jugement d'un profane doué de finesse a toujours du prix, le jugement d'un professionnel de l'esthétique n'a généralement aucune valeur. Ils passent toujours à côté du but, ils ignorent ce qui importe véritablement. En littérature… il en va exactement de même. Toutes les fois qu'il s'agit d'organisation de l'œuvre, les philosophes racontent des imbécillités. Il leur manque totalement un organe pour sentir l'essentiel. » (Kayser, p. 61.)

pertinent de forger, à propos de mon état d'insensibilité neurologique, un néologisme comme *figidité*. Quinze ans plus tard, trouver ce terme dans la table des matières d'un mémoire universitaire québécois ne me fait pas plaisir ; ça me perturbe. Et lire des phrases comme « Le sexe de Huston avait perdu toute sensation et elle se sentait simultanément rigide, figée et frigide »… me donne froid dans le dos.

Du coup, bien sûr (et c'est plus troublant encore), je suis obligée de repenser ce que j'ai dit et écrit, au long des années, sur la vie et l'œuvre des autres écrivains. Mes articles sur Duras, par exemple : pourquoi ne seraient-ils pas tout aussi faux, approximatifs et appauvrissants que les articles de X ou de Y sur moi ? Et mes idées si palpitantes sur Sand et Musset, Scott et Zelda Fitzgerald, Sartre et Beauvoir, Sylvia Plath et Ted Hughes dans *Journal de la création* ? Depuis la publication de ce livre, à peu près toutes mes certitudes au sujet de l'art (et notamment dans son opposition avec « la vie » ou « le réel ») ont mordu la poussière. Cela me ferait-il plaisir de nous voir ainsi « mis en boîte », T. et moi, par un universitaire (même respectueux, même bienveillant et consciencieux) qui pense avoir compris le fonctionnement intellectuel et passionnel de notre couple ? Pas du tout du tout. Non seulement parce que je n'en aimerais pas la publicité, mais parce qu'il y manquerait l'*essentiel,* à savoir : la vie changeante, fluctuante, pleine de secrets et d'impalpable et de contradictions et de mystères.

Ça......... *ça,* il n'y a que la fiction pour en parler.

2001

Conférence prononcée à l'École normale supérieure, le 1ᵉʳ octobre 2001. Publié dans *L'écriture et le souci de la langue. Écrivains, linguistes : témoignages et traces manuscrites*, sous la direction d'Irène Fenoglio, CNRS Éditions, coll. « Textes et manuscrits », Paris, 2004.

FESTINS FRAGILES

Quelle est « la langue des écrivains » ? Je ne peux aborder cette question qu'à travers une métaphore, qui plus est une métaphore assez éculée : pour moi, écrire ressemble énormément à faire la cuisine... mais sans recette. Ce qui est un projet passablement délirant. On se propose d'embarquer dans la préparation de mets extraordinaires, dans l'espoir de régaler des milliers d'invités, et on n'a pas la moindre idée de comment on va faire pour trouver les ingrédients, les éplucher, les découper, les mouliner, dans quelles proportions les combiner, à quelle température les faire cuire, pendant combien de temps... On se lance, on s'isole, on met son tablier, on a le cœur qui bat tant on a envie que ça soit bon, on commence à mélanger un peu de ci, un peu de ça, parfois on y va franchement, assénant de grands coups comme avec une hache de boucher, parfois on saupoudre d'un soupçon seulement, tout doit être succulent, sublime, la couleur comme l'odeur, on laisse mijoter, mais ensuite vient le moment où il faut goûter, et on goûte, et souvent, très souvent, on trouve que ce n'est pas ça, pas du tout ce qu'on voulait faire, c'est même dégueulasse, on panique, on ne sait pas si on va y arriver, subrepticement on jette une partie du repas à la poubelle et on recommence, on mesure, on mijote, on attend...

Ah, non, ce n'est pas la bonne métaphore. Parce que ce qui manque, là-dedans, c'est la magie. Ce que nous cherchons, n'est-ce pas, c'est la magie. Il faut que le résultat soit non seulement délicieux et nourrissant mais transcendant, qu'à force d'essayer et d'ajouter et de goûter et d'enlever, on parvienne à une concoction surnaturelle, un condensé fabuleux du sens de la vie – tout un champ de tomates réduit en une seule petite boîte de concentré, quelque chose comme ça – une potion qui produise, chez les invités, chez les cobayes, chez les victimes, chez les lecteurs, des effets forts, physiques, métaphysiques, battements de cœur, éclats de rire, assombrissements du ciel intérieur. C'est plutôt, oui, comme essayer de faire de la magie. Mais toujours sans recette.

Dans mon cas, les procédés et les résultats de cette « cuisine » varient incroyablement de fois en fois, de texte en texte, de roman en roman, à tel point que je m'inquiète souvent au sujet de mon « identité » (ne serais-je pas schizoïde ? menteuse ? duplice ?), et que le plus grand compliment qu'on puisse me faire est de me dire que je suis une, qu'on reconnaît mon « style », ma « voix ».

J'écris tantôt en français, tantôt en anglais mais, quelle que soit la langue que je choisis pour écrire un texte particulier, j'ai besoin (comme tous les romanciers mais plus encore, ou en tout cas plus consciemment que la plupart d'entre eux) *de me forger une langue à moi*. Quelle est-elle ? Elle est située maintenant, je crois, quelque part entre l'anglais et le français, c'est-à-dire que – sans y réfléchir, sans le faire exprès – je cherche à préserver en français ce que j'aime de l'anglais (son ouverture, son économie, son insolence) et en anglais ce que j'aime du français (sa précision, sa sensualité, son élégance). Le résultat est ce qu'il est ; peut-être a-t-il tendance, parfois (on me l'a dit, des deux côtés de l'Atlantique), à « sonner » français aux oreilles anglophones et inversement. Ce n'est pas ce que je cherche.

Ce que je cherche, c'est… une musique. Tout ce que ma tête charrie pendant le temps de l'écriture – images, voix, bribes d'idées – doit être soumis, en passant à travers les signaux électriques de mes nerfs, et peu à peu à travers les muscles de mes doigts sur le clavier ou le stylo, à la discipline d'une musique. Parfois surgissent des images ou des paragraphes superbes, mais qui doivent « sauter » parce qu'ils relèvent d'une autre musique que celle du roman sur lequel je travaille à ce moment-là. (Ainsi, depuis plus de trois ans j'attends le bon moment, le bon endroit pour placer ce pauvre garçon – mort ? drogué à mort ? je ne sais – aux longues jambes pendantes, que son père porte par-dessus son épaule : je vois le haut des fesses que révèle le blue-jean qui a glissé sur des hanches trop maigres, et c'est ce détail qui fait toute l'affreuse tristesse de la scène, mais de quel roman cette image fait-elle partie ? Ça, je ne le sais pas, sa musique ne s'est pas encore déclenchée en moi ; qui sait si elle se déclenchera un jour ?[*])

De même, la révision d'un texte littéraire – phase infiniment plus longue et ardue que celle de son écriture – relève pour moi d'une écoute exigeante de son rythme, de sa poésie. J'aime la répétition et j'aime la non-répétition. Tantôt je pratique l'allitération à l'excès, tantôt je l'évite comme la peste. Je tiens à ce que chaque phrase participe, de par sa phonétique et sa ponctuation, au chant de l'ensemble. Je lis et relis et relis et relis, ajoutant une virgule pour l'effacer vingt minutes plus tard, puis la remettre et l'effacer à nouveau ; trichant,

---

[*] Cette scène a fini par trouver sa place sept ans plus tard, dans *Dolce agonia*.

parfois (notamment quand je me traduis) sur le sens exact d'un mot si j'ai « besoin » de deux syllabes à cet endroit au lieu de trois. Davantage devient plus et redevient davantage. Ça, cela, ça. Qu'on, que l'on, qu'on. Pense, crois, pense. Sans parler de scintillant, brillant, miroitant... Aucun livre, dans mon bureau, n'est plus souvent feuilleté que le dictionnaire synonymique.

Chaque roman a sa musique spécifique. Pour *Trois fois septembre*, il s'agissait de musique au sens propre : dès la gestation du livre, certaines chansons emplissaient ma tête, y battaient de façon taraudante, obsessionnelle et j'avais l'impression de devoir les comprendre, décoder leurs paroles comme autant de symboles clignotants. *Cantique des plaines* a été suscité tout entier par une voix intérieure, tendre et ironique à la fois, disant « *Come on, Paddon, tell us how it was.* » Ce fut là le déclic décisif ; même si je ne savais pas encore qui parlait, je savais que l'histoire de cet homme raté serait racontée à la deuxième personne ; et ce choix grammatical fit jaillir une sorte de chant fervent intarissable, lié aussi à l'image des plaines, à l'idée d'infinité évoquée par les plaines, mimétisme donc de cette immensité géographique dans la syntaxe, dans le souffle même du texte, retrouvailles avec la racine du mot *inspiration* – oui, ça soufflait, se chantait et se dévidait, s'ajoutant et s'accumulant – et toujours j'ai adoré lire ce livre à haute voix, en anglais comme en français.

La virevolte, tout au contraire, est fait de fragments, d'échardes, d'éclats de verre. Style/stylo/stylex/stylet. Instruments coupants. Livre taillé, tailladé, dans la pierre, la chair. Scalpel, bistouri, ciseau. On commence avec un immense bloc de marbre et on finit avec un enchaînement hoquetant de cailloux, osselets dansants. Style auquel je suis parvenue non par accumulation mais par coupes. Et recoupes. Mutilations. Pages brûlées, littéralement, et effacées en même temps de la mémoire de l'ordinateur. Puis regrettées amèrement

phrases inachevées, laissées en suspens

Advanced Destructive Writing, ai-je dit en souriant, jaune, dans un cours où j'étais censée enseigner à des Américains l'*Advanced Creative Writing*. Une autre musique. Minimaliste. Squelettique.

C'est la musique, la magie : l'élément catalyseur qui transforme, brusquement et intégralement, tous les ingrédients hétéroclites, tout le bric-à-brac invraisemblable qu'on a recueilli en vue de cette cuisine : observations sur le vif, lectures retenues ou oubliées, influences spirituelles, messages politiques, expériences amoureuses, phrases entendues ou rêvées, visages et voix... Oui, tout cela est très bien, tout cela est indispensable, mais tout cela n'est rien sans la musique.

Je ne sais d'où elle vient, je tiens même à l'ignorer ; je prie simplement pour que cela ne s'arrête pas. Car ce sont des festins fragiles : à la fin de chaque roman, éclôt ce silence terrifiant, que l'on redoute, toujours, définitif.

Et puis   dans le   lointain

se mettent à   sourdre

quelques notes éparses...

1994

Liberté, n° 216, vol. 36, n° 6, décembre 1994.

LA PAS TROP PROCHE

Toutes les mères sont étrangères.

Celle en qui j'ai vécu, celle dont j'ai senti vibrer la voix bien avant que de l'entendre, celle qui m'a nourrie à son sein, tout en nourrissant dans le même temps (oui, en refusant de cesser de nourrir) des rêves, celle qui m'a bercée tout en berçant également des rêves – rêves de liberté et d'accomplissement –, celle qui a formé mes oreilles et mes lèvres pour comprendre, émettre, articuler et décrypter les sons de la langue anglaise, tout en formant par ailleurs des projets de travail et de réussite (ce qui aurait dû être, mais n'était pas, à l'époque – l'époque du mystique du féminin et de la ménagère épanouie grâce à son linge plus-blanc-que-blanc et à son parquet reluisant – son droit le plus strict) : celle-là a jeté l'éponge, c'est le cas de le dire, l'éponge et l'eau du bain, la baignoire, le bébé, trois bébés, le mari, le balai, le rouleau à pâtisserie et puis... son dévolu – oui, jeté, également, son dévolu sur une vie plus palpitante à l'étranger.

Celle-là, donc – celle dont, de la chair, je suis la chair – nous est devenue étrangère. Elle s'est faite idée, absence, abstraction, lettre, femme de lettres, et ne nous a plus parlé, dans ses lettres, à nous ses enfants, que des pays qu'elle visitait, ou allait visiter, et de ceux dans lesquels elle s'installait, ou allait s'installer, et des langues qu'elle apprenait, langues romanes, romantiques, romanesques, et des hommes qui, dans ces langues étranges, la courtisaient, elle, notre mère étrangère. Épris, entre autres, sans doute, de ces seins que ne mordillait plus aucune petite bouche, ils l'invitaient (ces hommes, nous disait-elle, à nous, ses enfants, dans des lettres envoyées à l'Ouest du Canada depuis Londres, depuis Madrid, depuis Majorque), chez eux, et elle y allait, avec eux, et l'année d'après, pour nous, il y avait des mantilles en dentelle noire, des poupées aux robes de flamenco, des éventails et des poignards, des hurlements, des meurtres, non non non non il n'y avait sûrement pas tout cela, il faut bien que cela s'arrête quelque part, qu'y avait-il donc ? Les lèvres de notre mère, rougies de rouge vif, nous annonçant que ses couleurs préférées étaient dorénavant le rouge et le noir. Espagnole, elle était devenue ! Teints en noir, ses cheveux ! Badigeonnés de rouge, ses lèvres et les ongles de ses vingt doigts ! Belle, belle, impressionnante, intimidante et étrangère : l'en-allée en permanence, celle-là. Elle se penchait sur nous et nous embrassait, essuyait sur notre joue la trace laissée par son rouge à lèvres, et remontait dans le car, le train, le bateau, l'avion, la fusée interplanétaire.

Et celle, ensuite. Celle, tout de suite. Celle qui l'a aussitôt remplacée, elle, la première. La deuxième, donc. Mère, aussi : par nous appelée « mère », elle aussi. Étrangère, aussi. Maîtrisant bien – mais bien seulement, non à la perfection – notre langue maternelle. M'en apprenant une autre. La sienne. Débarquant avec, dans ses bagages, dans sa mémoire, l'Europe : une autre ; non l'Espagne mais l'Allemagne ; non le flamenco mais les valses de Strauss, non le rouge et le noir mais le vert et le gris, non les mantilles et les poignards mais les tasses en porcelaine et les couverts en argent, non les rêves fous de liberté mais la piété catholique et l'optimisme – du jamais-vu, tout ça, du jamais-prévu non plus – et également, dans ses bagages secrets et invisibles de petite fille allemande devenue épouse de Canadien, et mère du jour au lendemain de trois enfants étrangers, la volonté de vivre après, malgré et contre le souvenir d'une guerre mondiale. Mère étrangère, oui, très, s'installant avec grâce à la place de la mère, à table, dans la cuisine, dans le lit du père, se faisant passer pour la mère, oh ! douce, très douce imposture ! Gentille, preste et rieuse usurpation ! mais tout de même : mensonges, ravages et destructions, tabous et interdits de tous les jours.

Celle, aussi, que j'ai (si l'on peut dire) choisie pour mère, et qui en même temps m'a élue comme fille, adoption mutuelle en quelque sorte, librement effectuée, sans formalité ni obligation, pour notre pur plaisir d'être ensemble le plus souvent et le plus longuement possible, en dépit des cinq mille kilomètres qui séparent les lieux où l'on réside. Oui, une juive russe née dans l'État de New York peut être la mère d'une protestante irlandaise née dans la province d'Alberta : conseillère et confidente, fiable et fantasque, membre et même pilier de ma famille, c'est elle aussi, cette femme-là, ma mère étrangère.

Celle ensuite oh celle oh celle que je suis moi-même devenue, ayant traversé à mon tour la mer, mère étrangère, parlant avec un accent la langue de mes enfants, leur proposant, en guise de langue maternelle, une chose qui n'est pas à moi, les mettant au lit avec des berceuses pour eux incompréhensibles, dont les sonorités les réveillent au lieu de les endormir, présidant à leur éducation avec des fautes de frappe et de grammaire, les privant de grand-mère (laquelle des deux, ou des trois ? et dans quel ordre ? un peu de chaque, ou bien aucune ? rien de tout cela ?), préparant leur palais à des nourritures diverses, leur oreille à des voyelles insolites, et leur cœur à d'extraordinaires voyages. De la chair de ma chair, je suis l'altérité vivante, l'inconnu proche et présent, l'ailleurs incarné, incrusté dans leur quotidien.

Qui sont les autres « celles » ?

Je me promène dans la ville de Montréal avec ma filleule de quatre ans, née en Chine. Elle se roule dans les congères de neige. Elle chantonne et babille en québécois, langue apprise auprès de sa mère adoptive – née, elle, en Suisse.

Encore, encore. J'ouvre les yeux, regarde autour de moi et constate, étonnée, que *toutes les mères sont étrangères*. Je vois la distance qui se glisse, vite, entre elles et leurs enfants, oui, l'étrangeté qui s'instaure dès les débuts, la non-complicité, la non-coïncidence ; dans l'échange entre eux je vois non seulement fusion, tendresse caresse et lien, mais tout ce qui frotte et gratte, corrode et corrompt, je vois les sourires mais aussi les regards blessés et les mines déconfites, déçues, j'entends les roucoulements mais aussi les voix qui grincent d'impatience, celles qui se brisent d'énervement, celles qui se liquéfient en larmes, et je me dis qu'au fond la mère c'est cela, partout, depuis toujours, la mère c'est cela exactement : notre première étrangère, la première rencontre avec la réalité de l'autre, incontournable : son *altérité* justement, sa pas-trop-de-proximité, sa différence d'avec soi...

Or sans différence il n'y a rien, ni haine ni amour ; sans l'autre il n'y a même pas soi ; au moins mes mères exceptionnellement nombreuses et étrangères m'auront-elles appris cela : que l'important c'est d'être, d'une mère, non pas la chair mais la chère, et de pouvoir la chérir à son tour, pour la personne pas-moi qu'elle est.

2001

La pensée de midi : Littératures, n° double 5/6, « Une Mère étrangère », octobre 2001.

UNE SEMAINE…

samedi 0 heure, Lyon

De plus en plus aiguë, ma conscience que je
pourrais être ailleurs, qu'il ne tient qu'à un fil que
je ne sois ailleurs. Quelle actualité me concerne ?
Quelle attitude politique devrait être la mienne ? Je suis
perpétuellement tiraillée entre la position maximaliste
d'un Breytenbach (identification maladive à son pays)
et celle, minimaliste, d'un Beckett (y a-t-il un monde,
quelque part ?).

Question au moment de me coucher : que va-
t-on m'injecter dans la tête cette semaine ? Depuis
quelque temps je nage à contre-courant, m'efforçant
coûte que coûte de protéger mon cerveau contre les
millions d'informations qui menacent à chaque instant
de l'envahir. Aux USA il est désormais interdit de se
concentrer sur une chose : quand on regarde un *talk-
show* on voit défiler au bas de l'écran les nouvelles du
jour. Même en France, d'après ma fille, les jeunes ne
supportent plus de voir un film d'avant-guerre, aux plans
lents et longs… Exception notable : la prison de Fleury-
Mérogis. Là, on se concentre. Chaque fois que j'y vais,
le respect dont témoignent les détenus pour les mots
me sidère. Leur écoute est intense, totale – entre autres
parce qu'ils ne songent pas, pendant qu'on parle, à ce
qu'ils ont à faire après. À l'instar des moines bouddhistes,
ils sont là où ils sont.

Juste avant de m'endormir, je lis dans *Les Inrock* le beau texte de Marc Weitzmann sur les colonies juives en Palestine… beau parce qu'incertain, désarçonné ; le journaliste ne cache pas son désarroi devant cet univers hallucinatoire. Aucune raison pour moi de prendre position dans le conflit au Moyen-Orient, ni dans la plupart des conflits qui embrasent la planète. Rares du reste sont les situations où les uns ont raison et les autres, tort ; tous ont *leurs* raisons. Trop faciles l'indignation, la colère, la pierre jetée, les lamentations. Au réveil, je parcours les trois journaux que propose l'hôtel, avec leurs trois versions de l'actualité : *Herald Tribune* (dispute Gore/Bush à la Cour suprême, inculpation de Pinochet) ; *Lyon Figaro* (mine de la Loire transformée en décharge d'hydrocarbures) ; *Figaro* (effondrement du Nasdaq). Jamais autant qu'aujourd'hui on n'a été au courant des malheurs et des abjections de notre espèce, ni autant senti notre impuissance à y remédier.

dimanche, Paris

Réagissez, vite ! Le chinchilla vert émeraude de la Callas a été acheté par le maire adjoint d'Athènes ; un adolescent a été égorgé dans la banlieue de Grenoble ; j'ai joué avec mon fils dans le labyrinthe nouvellement rouvert du Jardin des plantes… admirant trois feuilles rouges découpées en tableau japonais contre le ciel et, en transparence, la vue de la Mosquée derrière les branches nues et noires.

J'étais à Lyon pour une rencontre sur la francophonie : cinq heures de discussions à la bibliothèque municipale avec Leïla Sebbar et des écrivains qu'on a réunis naguère, elle la Franco-Algérienne et moi l'Anglo-Canadienne, dans un recueil intitulé *Une enfance d'ailleurs*.

J'ai aimé leurs paroles. « Quand on est modéré, a dit Eduardo Manet (Cuba), on est vu comme un faux jeton, un hypocrite. Mais je voudrais avoir le courage d'être modéré. » Ou Tierno Monenembo (Guinée), à propos de son récent roman sur le génocide au Rwanda : « J'ai décidé d'humaniser cette histoire, de me moquer un peu, de ne prendre position ni pour ni contre. » Ou Maria Maïlat (Roumanie) : « La fiction a-t-elle quelque chose à dire dans l'Histoire ? Moi je dirais que oui. » Et la linguiste Henriette Walter de nous rappeler en fin de journée que « l'anglais et le français sont simplement des créoles qui ont réussi ». Je décide que ces gens-là sont mes proches et que je vais m'intéresser à l'actualité de leur pays natal respectif. Actualité suppose le maintenant mais pas l'ici.

lundi

Pour Maria : les Roumains sont furieux car la France vient de supprimer l'exigence d'un visa de court séjour pour les Bulgares mais non pour eux. Aux élections de la semaine prochaine, il y a un vrai risque que l'ultra-nationaliste Vadim Tudor soit élu. Au Canada aussi, un xénophobe fait parler de lui : Stockwell Day, natif comme moi de l'Alberta. Il croit en la version biblique de la Création. (En dire du mal. Oui oui.)

Aujourd'hui, le hasard a voulu que je déjeune avec un Égyptien, prenne le thé avec un Belge et dîne avec un Bulgare – tous trois écrivains installés en France depuis de longues années. Les Français savent-ils que leur image littéraire dans le monde a été forgée en grande partie par des gens nés ailleurs ? Beckett, Ionesco, Sarraute, Duras, Camus… ces jours-ci c'est Agota Kristof, Hongroise exilée en Suisse, qui défraie la chronique.

mardi

Pour Leïla, je lis l'affligeant dossier de *Marianne* sur la torture. On a beau tout savoir déjà, la photo fait frémir : un chien féroce se jette sur un Algérien sous les yeux de quatre Français qui, tous, arborent un sourire hilare. En écrivant *L'empreinte de l'ange*, j'ai lu les journaux et visionné les Actualités Gaumont des années 1957-1963, pour comprendre quelle perception de la guerre d'Algérie pouvait avoir le Parisien moyen. Expérience chavirante. C'est maintenant, quarante ans plus tard, qu'on dispose des éléments permettant de juger. De même, les Américains viennent tout juste d'apprendre que leurs GIs ont tiré dans une foule de réfugiés coréens en 1950.

Je me méfie donc de l'actualité. J'ai perdu l'habitude de me précipiter chez mon kiosquier au saut du lit pour connaître les nouvelles du monde. Mon souci maintenant est de préserver mon univers nocturne, par-delà le petit déjeuner des enfants et le métro, jusqu'à ma table de travail. À treize heures seulement, je me rebranche sur le réel en ouvrant la radio, et c'est le soir que je m'empiffre de nouvelles. Non que je redoute la désinformation, mais comment imaginer que nous ayons une idée un tant soit peu juste de ce qui se passe, même s'il était possible (ce qui est loin d'être le cas) d'absorber *toutes* les actualités ?

Le soir, je regarde à la télé un documentaire sur la famille d'un des mariniers du *Koursk*. Je suis cette mère, sans difficulté, comme je suis la mère de l'adolescent égorgé.

mercredi

Pour Henriette : les nouvelles de treize heures me parlent, en vrac, de l'interdiction européenne des farines animales, de la marche silencieuse pour Sofiane, de Chirac impliqué dans le financement occulte du RPR, et du fait qu'une Française sur dix a été l'objet de violences. (Dire que c'est profondément choquant. Ajouter qu'après avoir vu Philippe Caubère jouer *Claudine*, on se dit que les femmes peuvent être violentes aussi.)

Temps pluvieux. La météo fait aussi partie de l'actualité. Mais, même cette actualité-là, je la relativise : chaque fois que (comme aujourd'hui) le ciel parisien est maussade, je me rappelle de toutes mes forces qu'en Grèce à la Toussaint il a fait un temps sublime. À quoi sert d'être romancier si l'on garde les prodiges de l'imaginaire pour les livres ? Regardez-moi ce ciel d'un bleu vibrant, le blanc éblouissant des murs, le rose fuchsia des bougainvilliers, le citron des citrons et l'orange des oranges !

jeudi

Pour Tierno – les Guinéens ne sont pas fiers, semble-t-il, d'Éric Moussambani, le nageur qu'ils ont envoyé aux Jeux olympiques de Sydney ; ils trouvent que sa performance lamentable (arrivant 28 secondes après l'avant-dernier dans la course des 100 m) a ridiculisé le pays.

Qui a décrété qu'il fallait à tout prix être fier de ce qu'on est ? Idée aberrante, à l'origine d'à peu près tous les malheurs du monde. J'ai la grande chance de venir d'un pays fade, un pays qui n'a pas de mécaniques à rouler. *Moins* de fierté, voilà ce qu'il faut. N'enseigner dans les écoles qu'un patriotisme de l'ambiguïté, un patriotisme mitigé, atténué, nuancé. Enseigner les ignominies à côté des gloires. Et même les jolis ratages comme celui d' « Éric l'Anguille ».

Pour Eduardo – des milliers de Vénézuéliens souffrants débarquent à La Havane en ce moment, par grappes de cinquante. En échange de soins médicaux pour leurs maladies cardiaques et neurologiques, Cuba recevra du Vénézuela... du pétrole !

Autrefois, je me souviens, j'avais des opinions. J'essayais d'être une intellectuelle et les intellectuels doivent avoir une opinion sur tout. Depuis quelques années je n'en ai presque plus. J'écoute celles des autres, souvent avec respect, éberluée par la facilité avec laquelle ils les acquièrent et la violence avec laquelle ils les défendent. Comment font-ils ? N'en ont-ils pas changé, depuis dix ans ? N'ont-ils pas vu leurs opinions les plus chères et les mieux informées s'évanouir lors de la révélation d'un fait nouveau (par exemple Timisoara) ? Oh, si, en cherchant bien, j'aurais tout de même une petite opinion à exprimer. C'est au sujet de Pinochet. J'ose à peine le dire, tant dégouline d'arrogance le consensus à son sujet. Mais enfin... d'où vient l'étrange certitude que ce sont ces quatre mille morts-là qu'il faut venger et pas les autres ? Si l'on punit le méchant Pinochet, de quel droit laisse-t-on tranquillement en place des dictateurs comme Castro ? Sait-on, ou refuse-t-on de savoir, que le régime marxiste d'Allende avait supprimé dès l'été 1973 toutes les libertés fondamentales (presse, expression, rassemblement, justice indépendante, etc.) ? Et que le beau Che avait le ferme projet de mettre en place un régime de type soviétique ? Suis-je « de droite » en disant cela, sous prétexte que lui était « de gauche » ?

Dans le dernier roman d'Ondaatje, écrivain sri-lankais exilé au Canada, le médecin Gamini « a cessé de croire au règne de l'homme sur Terre. Il se détourne

46

de tous ceux qui défendent une guerre. Ou le principe d'un territoire, ou l'orgueil de la propriété, ou même les droits de la personne. D'une façon ou d'une autre, tous ces mobiles finissaient entre les mains d'un pouvoir sans scrupules. »

2001

Libération, 9-10 décembre 2001.

LE DÉCLIN DE L'« IDENTITÉ » ?

*Tout ce qui nous incommode nous
permet de nous définir.
Sans indispositions, point d'identité.*

CIORAN

Le Seigneur crée ; l'homme peut recréer.

DAVID HOMEL

L'été dernier, au cours d'une petite virée en Bretagne, j'ai accepté l'hospitalité d'une femme que je connaissais peu mais dont la gentillesse et la générosité étaient grandes et pressantes. Ayant fait pendant la journée plusieurs heures de tourisme intensif, je me retirai en fin d'après-midi dans la chambre qu'elle avait mise à ma disposition. Là, je fis plusieurs respirations profondes, quelques mouvements de yoga, pris mon carnet et, stylo en main, laissai les images et impressions de la journée se décanter doucement dans ma tête. Mais au bout d'une petite dizaine de minutes, alors que je commençais tout juste à me recueillir, mon hôtesse frappa gaiement à la porte de la chambre et entra en trombe, m'apportant une pile de choses pour me « distraire » et m' «occuper». Je ne me souviens pas de tout ce qu'il y avait dans la pile. Entre autres : le numéro spécial de *Télérama* sur la guerre civile en Algérie ; un grand livre de photos sur l'ameublement des maisons suédoises ; et le dernier roman d'un de ses auteurs préférés dont je me suis empressée d'oublier le nom.

La conversation avec cette personne (par ailleurs tout ce qu'il y a de plus aimable) était à l'avenant.

Impossible de rester sur le même sujet plus d'une minute et demie. Et vous connaissez l'Égypte ? Ah, c'est magnifique, absolument magnifique. Et l'Inde, vous y êtes allée ? Moi non plus, mais j'en rêve, je suis en train de lire de petites choses sur l'hindouisme pour me mettre dans le bain. Oui, j'ai été à New York mais seulement pendant quarante-huit heures, ce n'est pas assez, c'était au retour d'un voyage organisé à La Nouvelle-Orléans. Ça m'a un peu déçue, la Louisiane, les bayous, tout ça, c'est un paysage assez triste. L'œuvre complète de Cioran, j'ai acheté le livre mais non, je ne l'ai pas encore ouvert – mon Dieu, il faut avoir le temps ! Et le dernier Coelo, vous avez lu ? Et ce nouveau film chinois, comment s'appelle-t-il ? Vous savez, c'est le même réalisateur qui a fait... Oh oui ! c'est épouvantable ce qui se passe au Rwanda, mais dans nos propres banlieues aussi ça va barder, vous verrez... Je n'aime pas beaucoup Pierre Boulez, je ne sais pas ce que vous en pensez... Et Milan Kundera, oh oui ! il écrit en français maintenant ! Et pensez, en Tchécoslovaquie, cet auteur de théâtre, comment s'appelle-t-il, qui était en prison, c'est maintenant le chef de l'État ! La Bosnie, quelle horreur, dire que c'est dans la même ville que la Première Guerre mondiale a éclaté... Non, je n'ai pas vu le film de Bernard-Henri Lévy, mais sa femme Arielle Dombasle a joué dans un autre film que j'ai bien aimé, attendez que je cherche le titre... À propos, la grève de la faim d'Ariane Mnouchkine, vous approuvez bien sûr, elle est venue ici avec sa troupe, ils ont joué une pièce de Molière, c'était inoubliable. Très beau aussi, *Les ailes du désir*, vous n'avez pas trouvé ? Wim Wenders était au Portugal à un moment donné, vous connaissez Lisbonne ? Moi, par hasard, j'y étais juste quinze jours avant l'incendie, quelle tragédie. Mais lors du tremblement de terre au Japon, les secours ont été trop lents. Et David Waco et O. J. Simpson, quelle violence, quand même. Mais venez dehors maintenant, voir mes hortensias – vous verrez, ils sont superbes cette année !

C'est grave.

Il y a un siècle, un siècle et demi (et ce n'est *rien*, un siècle et demi ; c'est la naissance de nos grands-parents ou de nos arrière-grands-parents, autant dire *rien*), les écrivains pouvaient encore viser à élargir les horizons de leurs lecteurs.

Tout comme nous autres modernes, le lecteur d'antan avait une existence tantôt heureuse et tantôt malheureuse mais, comparée à la nôtre, la sienne était *restreinte à la réalité* à un point que nous avons du mal à imaginer. Une réalité présente, plutôt que présentée, représentée. Il n'avait ni appareil photo, ni radio, ni téléphone, ni voiture ; encore moins, bien sûr, avait-il un poste de télévision chez lui ou une salle de cinéma dans son voisinage, et je ne parle même pas des ordinateurs, télécopieurs, caméras vidéo, visiophones, CD-ROM et autres Internet.

Du matin au soir, ce lecteur ne savait pour ainsi dire que ce qu'il voyait, entendait, et touchait. Les rues de la ville ou du village où il évoluait n'étaient qu'elles-mêmes. Elles n'avaient jamais été enregistrées, doublées par leur propre image ou leur propre son, encore moins envahies par des sons et images venus d'autre part. La littérature sous toutes ses formes (parfois accompagnée de dessins ou de gravures) s'appliquait à faire exister, dans l'ici et le maintenant, des réalités d'ailleurs ou d'autrefois : légendes et contes transmis par les aïeuls, divertissements théâtraux à l'occasion des fêtes, histoires de l'Évangile écoutées chaque dimanche, Bibliothèque bleue ou romans de colportage, et enfin, pour ceux qui avaient plus d'instruction et de loisirs : vrais romans (souvent en feuilleton dans le journal quotidien), vraie poésie, vraies pièces de théâtre.

Le lecteur de cette époque fréquentait presque exclusivement des gens du même milieu que lui ; il n'avait pas de congés payés pour aller visiter d'autres régions ; la littérature, sous ses formes nobles ou vulgaires, était *son unique moyen de s'évader du réel* ; elle seule lui permettait de décoller du visible et du tangible, de se familiariser avec des milieux, pays et modes de vie, mais aussi des mondes imaginaires, différents des siens. (Je mets de côté ces merveilleux moyens d'évasion que sont *la musique*, car elle ne transmet aucun contenu précis, et *le rêve*, qui n'est pas un phénomène culturel.)

En dépit de la relative monotonie de son existence, ce lecteur d'antan avait quelques certitudes rassurantes. L'existence de Dieu, par exemple, était une certitude ; et la vie après la mort, une quasi. Il avait aussi des traditions centenaires, et il y tenait : fêtes religieuses à date fixe, veillées d'hiver à la campagne, coiffes des femmes en dentelle, danses débridées après la moisson ou le soir du Quatorze Juillet, dinde aux marrons à Noël, gâteaux de Pâques que l'on fait cuire comme ceci ou comme cela, bouteille de vin ou de bière que l'on débouche... En un mot, ce lecteur avait *une* identité culturelle.

Le lecteur contemporain, en revanche, en a mille : autant dire aucune. Même à la campagne, où les coutumes anciennes perdurent jusqu'à un certain point, l'arrivée des téléviseurs il y a trente ans a mis fin aux veillées : l'image a remplacé les mots et le poste, usurpant la place symbolique du feu, est *devenu* le foyer, le centre convivial autour duquel s'assemblent les membres d'une famille... pour se taire.

Alors voici ce que je me suis dit, l'été dernier, quand j'ai enfin pu regagner ma chambre dans la maison de la dame si bienveillante et si chaotiquement cultivée : le rôle de l'écrivain, depuis un siècle et demi, s'est transformé du tout au tout. Nous ne sommes plus là pour faire miroiter d'autres réalités aux yeux de nos lecteurs, élargir leurs horizons, les faire rêver ou réfléchir à de nouvelles choses, multiplier leurs expériences... Non, car ils ont déjà touché à tout. Ce soir à la télévision, ils auront le choix entre un documentaire sur le vaudou au Bénin, un film policier américain des années quarante, un « débat de société » sur le sida, un panorama historique des Ballets du Bolchoï ; à la radio ils pourront écouter du rap de Harlem, des chants religieux en hébreu, un merengue antillais, un opéra de Monteverdi ; et, pour peu qu'ils habitent une grande ville et qu'ils veuillent bien sortir de chez eux, ils pourront visiter la Suède, l'Inde ou le Japon en allant aux festivals Bergman, Satyajit Ray ou Ozu ; assister à une pièce de Bertolt Brecht ou d'Eschyle, se pâmer devant un spectacle de danse sud-africaine ou un concert de musique expérimentale ; prendre l'apéritif aux USA, dîner au Viêt-Nam, aller danser ensuite en Argentine et finir la nuit dans un pub irlandais.

Le rôle des intellectuels et des écrivains, me suis-je dit (ayant fermé à clef la porte de ma chambre pour faire comprendre à mon hôtesse que je dormais), serait maintenant, au contraire, de rétrécir. D'isoler. D'ériger des cloisons. De concentrer. D'écarter le flux affolant d'images et de bruits, de choix miroitants, d'informations et d'influences parasites. De faire le vide, le silence.

De dire une chose, une seule. Ou deux...

mais en profondeur.

À lecteur étroit, écrivain universel et à lecteur universel, écrivain étroit ? C'est là, je le reconnais maintenant, une idée simpliste surgie d'un mouvement d'humeur. La réalité, comme toujours, est plus complexe. À tête reposée, il faut essayer de nuancer. Reprenons donc.

Depuis que la littérature existe, on lui a collé des adjectifs nationaux. Il y avait littérature française, anglaise, allemande, russe, espagnole... et ces épithètes avaient un sens, car en effet les romans reflétaient (ou plutôt : cristallisaient) des aspects essentiels du pays où vivait leur auteur : paysages, sensibilités, types psychologiques, conflits sociaux ou raciaux, croyances religieuses et populaires, informations historiques et ainsi de suite. Si les écrivains voyageaient, ils rapportaient leurs descriptions exotiques pour les lecteurs de chez eux. (Pierre Loti ne décrit pas « le Japon » dans l'absolu ; son Japon est destiné aux yeux, aux oreilles et au palais français ; il en va de même pour la Venise de George Sand.) Même les écrivains qui s'installaient longtemps à l'étranger ne laissaient planer aucun doute ; les intrigues, atmosphères, problématiques et personnages des romans de Tourgueniev, malgré ses vingt années passées en France, demeurent résolument russes.

Comment cela se passe-t-il de nos jours ? En matière d'identité nationale ou culturelle, toutes les tendances sont représentées sur les tables de nos libraires, depuis le vagabondage (Chatwyn, Le Clézio), jusqu'à la glossolalie (Joyce)... Mais je voudrais me pencher plus particulièrement sur trois types d'écrivains contemporains, que j'appellerai les *polarisés*, les *pulvérisés*, et enfin, les *divisés*.

À l'un des extrêmes du spectre identitaire, donc, de nombreux romanciers modernes continuent de tirer leur inspiration de l'enracinement dans une terre, une histoire, un peuple. Surtout dans les parties du monde où la littérature est naissante, récente, la référence à l'identité nationale est encore quasi obligatoire. La Martinique, par exemple, s'enorgueillit à juste titre d'avoir des auteurs de l'envergure d'un Patrick Chamoiseau ou d'un Raphaël Confiant, dont les livres évoquent avec une impressionnante énergie verbale les heurs et malheurs de l'île – son histoire, ses catastrophes naturelles et humaines, ses contes, son folklore. La situation de la littérature québécoise est à certains égards analogue : il s'agit d'une littérature jeune et donc encore préoccupée par son identité (et, là aussi comme aux Antilles, d'une littérature qui entretient un rapport d'amour-haine avec la grande tradition française, dont elle est à la fois tributaire et indépendante). Mais d'autres « polarisés » (on peut citer Toni Morrison, Russell Banks, John McGahern, les exemples sont légion) n'ont rien à prouver, rien à enseigner ; leur appartenance à tel groupe ou à telle terre n'est pas (ou plus) conflictuelle ; simplement ils trouvent en arpentant ce mini-univers toute la richesse, tous les travers, tous les paradoxes de l'âme humaine et ils peuvent donc l'explorer tout au long de leur vie sans se lasser et sans lasser leurs lecteurs.

Le romancier qui a aspiré avec le plus d'ardeur à atteindre l'autre extrémité du spectre, à savoir la multiplication démentielle des identités (ou l'identité *pulvérisée*), c'est, à mon avis, Romain Gary. Gary a réussi cet exploit peu commun : être perçu par la postérité comme un écrivain français alors que, né russe à Wilno en 1914, ayant fait ses classes à Varsovie avant de s'installer à Nice en 1928, il a quitté la France en 1940 pour ne revenir y vivre que vingt ans plus tard ; même alors, il a continué de voyager comme un forcené, parlant couramment sept langues, écrivant ses livres et articles dans deux d'entre elles, et déclarant avec fierté : « Je plonge toutes mes racines littéraires dans mon métissage, je suis un bâtard. »

Gary était un « bâtard », aussi, au sens propre du terme, et ceci explique beaucoup cela. N'ayant jamais été certain de l'identité de son père, il a vécu depuis la naissance sous une série de noms d'emprunt (Roman Kacew, Romain Gary, Fosco Sinibaldi, Shatan Bogat, Émile Ajar). D'autre part, à cause des rêves mégalomanes que faisait sa mère pour son avenir, il a pâti depuis sa plus tendre enfance d'une immense incertitude quant à sa propre existence. Une de ses blagues préférées était celle du caméléon qui devient bleu quand on le met sur du tissu bleu, rouge sur du tissu rouge… mais un jour quelqu'un le met sur un plaid écossais et il devient fou !

Qu'est-ce qui vaudra à Gary, en dépit de ses racines culturelles et nationales multiples, son estampille de Français authentique ? Il se bat pour la France libre aux côtés du général de Gaulle, il est aviateur bombardier de 1942 à 1944, il est décoré de plusieurs médailles militaires et nommé Compagnon de la Libération… et, pendant le même temps, il écrit en français un roman magnifique : *Éducation européenne*, qui manquera de peu le prix Goncourt et emportera le prix des Critiques. Ah ! ça vous fait un grand Français, ça, il n'y a pas de doute, même à partir d'un petit bâtard juif russo-polonais.

L'après-guerre de Romain Gary est encore plus ahurissant. En 1945, lorsqu'il apprend (en même temps que le reste du monde) l'extermination massive des juifs européens, il a à sa disposition deux choix identitaires, tous deux justifiés et gratifiants : il peut se réclamer, soit de son appartenance au groupe des *héros* (les glorieux Résistants français) soit à celui des *victimes* (les pauvres juifs assassinés).* Or – et voici toute la grandeur et aussi toute la folie de Romain Gary – il ne choisira ni l'un ni l'autre de ces rôles. Au contraire, il s'empressera d'écrire un roman futuriste et farfelu sur l'oppression des Noirs à Harlem (*Tulipe*, 1946), suivi d'un roman sur l'ambiance ignoble de l'après-guerre en France (*Le grand vestiaire*, 1948), mettant en scène un « collabo » sympathique.

Tout le reste de sa vie, Gary s'acharnera non seulement à connaître mais à *être* la totalité de l'humanité : ses romans se dérouleront dans le présent, le passé et le futur ; ils auront pour lieu d'action l'Italie, la Russie, l'Amérique du Sud, la Californie, New York, la Pologne, la Chine, la France, l'Espagne, la Suisse, Tahiti, la mer Rouge et j'en passe ; leurs protagonistes seront clowns, ambassadeurs, prostituées, intellectuels, policiers, vendeurs de tapis, vendeurs d'armes, petits garçons, aristocrates, anarchistes, hippies, violonistes juifs, etc.

Ce que veut embrasser Romain Gary dans cette œuvre littéraire si généreuse, si océanique, ce n'est pas « l'humanité » en tant qu'entité abstraite, en tant qu'universel, mais – chose très différente – *tous les particuliers*. Sa propre absence d'identité, tout en lui infligeant une souffrance sans nom, le libère des cadres étroits dans lesquels la plupart d'entre nous sommes pris. Il ne se

---

* Remarquons au passage que ce sont les deux positions à partir desquelles il est loisible de proclamer une identité nationale, culturelle ou raciale : on existe soit en tant que peuple *héroïque* (les Américains roulant les mécaniques), soit en tant que peuple *victimisé* (les peuples autochtones ou les esclaves africains qui en firent les frais). De nos jours, la deuxième position est nettement plus prisée que la première ; il arrive aussi qu'un leader politique parvienne à jouer sur les deux tableaux (cf. Louis Farrakhan, selon qui les Noirs sont une race supérieure, persécutée et opprimée par toutes les autres).

perçoit pas comme un homme sans détermination (il a des attaches fortes, bien sûr, à certains paysages, langues, musiques), mais la multiplicité même de ses appartenances l'empêche d'adopter des positions chauvines. Il est agacé au plus haut point par tout ce qui ressemble à une fierté identitaire, qu'il s'agisse d'une identité raciale, sexuelle, nationale ou religieuse... Cette fierté lui paraît un leurre grave, une barrière à la communication.

Entre ces deux extrêmes (les écrivains à l'identité *polarisée* et à l'identité *pulvérisée*), une nouvelle espèce d'écrivain est apparue depuis un siècle environ, que je propose de baptiser l'écrivain *divisé*.

Pour être un écrivain divisé, il ne suffit pas de changer de pays (comme Henry James) ou de langue (comme Jan Potocki) ; il faut en souffrir. En d'autres termes, il faut que ce déplacement remette en cause votre identité en tant que telle et devienne le thème principal, lancinant, de votre existence.

Le premier écrivain divisé, dans ce sens du terme, c'était peut-être Franz Kafka, écrivant en langue allemande dans une ville parlant le tchèque, l'homme pour qui rien n'allait de soi : ni le choix de sa langue d'écriture, ni son appartenance nationale ou religieuse, ni le fait d'être un fils, un fiancé, un docteur en droit, un employé dans une compagnie d'assurances, ni même son statut d'être humain (ne serait-il pas plutôt cafard ou blatte ?).

Kafka est-il une plume sur le chapeau de la « littérature allemande », ou bien un joyau dans la couronne de la « littérature tchèque » ? Question loufoque. De même, il est assez comique de voir la France et l'Irlande revendiquer avec fierté, chacune pour « sa » littérature, les livres d'un écrivain comme Samuel Beckett – comme si son œuvre ne différait pas de manière essentielle de celle de Victor Hugo : l'auteur de *Fin de partie* ne s'est-il pas égosillé à proclamer sa répugnance pour toutes les appartenances, y compris l'appartenance à l'espèce humaine ?

À mesure qu'avance le XXe siècle, avec ses déplacements de populations, ses moyens de transport et de communication toujours plus rapides et perfectionnés, les écrivains divisés deviennent de plus en plus nombreux. Je pense bien sûr à Vladimir Nabokov, Gertrude Stein, Jean Rhys, R. M. Rilke ; plus près de nous à Salman Rushdie, Kazuo Ishiguro, Derek Walcott, Michael Ondaatje, Jorge Semprun, Milan Kundera, Hector Bianciotti, plus près de nous encore à Ying Chen, Linda Lê ou David Homel, et je pense aussi à des amis à moi, poètes ou romanciers exilés à Paris comme Leïla Sebbar, Adam Zagajewski, Luba Jurgenson, C. K. Williams, Adam Biro, ou encore aux écrivains de la diaspora haïtienne que j'ai eu la chance de rencontrer à New York, Montréal et Miami ; la liste est longue… et enfin, je l'avoue, je pense un peu à moi.

Ces écrivains ne sont ni *enracinés* ni *déracinés* ; souvent, du reste, ils perçoivent l'idée même de racines comme une illusion, voire une métaphore dangereuse. Ils ne sont ni *sédentaires*, ni *nomades*. Ils sont exilés.

D'après Vera Linhartova, écrivaine tchèque vivant en France, pour l'exilé volontaire, « le terme même d'"exil" est particulièrement inapproprié. Car pour qui part sans regret et sans le désir de revenir en arrière, le lieu qu'il vient de quitter a une bien moindre importance que le lieu où il doit arriver. Il ne vivra plus désormais "hors de ce lieu", mais s'engagera sur le chemin qui mène vers un "sans lieu", vers cet *ailleurs* qui demeure à jamais hors d'atteinte. Tout comme le *nomade*, il sera "chez lui" partout où il posera le pied ».

J'ai du mal à imaginer un énoncé sur l'exil avec lequel je pourrais me sentir plus en désaccord. Le lieu, la langue que quitte l'écrivain déplacé, ce sont le lieu et la langue de son enfance. Comment ferait-il pour écrire quelque chose de vrai, de beau, de fort, s'il a mis une croix sur son enfance, bâillonné ou oblitéré les émotions et images qui s'y rapportent, décidé d'avance que le lieu de son enfance a une « bien moindre importance » que le lieu où il doit arriver… ?

Le « sans lieu » n'existe pas : ou, s'il existe, c'est à l'extérieur du monde, dans le cosmos abstrait des idées qu'explorent les philosophes et les mystiques ; en aucun cas ce n'est là le terrain du romancier ou de la romancière. Imaginer qu'un écrivain puisse être « nomade », et se sentir « chez lui partout où il pose le pied », cela relève ou bien de la dénégation ou bien de la naïveté. Personne au monde n'est, n'a jamais été, chez soi partout où il pose le pied : pas même les « vrais » nomades ! Si l'on avait parachuté un Indien Blackfoot (nomade) dans la cour du Roi-Soleil à Versailles, il est à parier qu'il eût été légèrement décontenancé.

À première vue, il pourrait sembler que l'éloge lyrique de l'exil volontaire que fait Linhartova s'applique au cas (extrême) de Romain Gary. Mais non : celui-ci a expliqué à maintes reprises que s'il doit bouger sans cesse, c'est qu'il enrage de se sentir « enfermé pieds et poings liés [...] au fond de moi-même et haïssant les limites ainsi imposées à mon appétit de vie ou plutôt de vies ». Une seule fois, au bord de la mer Rouge, grâce à une sorte de suspension du temps fournie par l'attente d'un passeport, il parvient, « une chique de haschisch aidant, à m'enfuir de cette colonie pénitentiaire qui condamne à n'être que soi-même ».

L'écrivain en exil, même volontaire, loin d'être « chez lui partout où il pose le pied », *n'est chez lui nulle part*. On me demande régulièrement : « Comme ça, vous êtes aussi à l'aise en anglais qu'en français ? » – et on croit à une boutade lorsque je réponds : « Non, aussi mal à l'aise. » Mais ce n'est pas une boutade. Si on est à l'aise, on n'écrit pas : un minimum de friction, d'angoisse, de malheur, un grain de sable quelconque, qui crisse, grince, coince, est indispensable à la mise en marche de la machine littéraire.

L'écrivain divisé n'est pas un apatride. Ce n'est pas un citoyen du monde. Il connaît bien, non pas une culture (comme Jean Giono), ni toutes les cultures (comme l'ambitionnait Romain Gary), mais deux ; parfois jusqu'à trois ou quatre, mais en général deux. Du coup, il a le point de vue de sa première culture sur la deuxième, et inversement. Loin de dire : Je suis de nulle part, donc vos petites querelles ne m'intéressent pas, ne me concernent pas, il dit souvent : Puisque je peux être concerné par les problèmes de deux pays, je le suis par ceux de tous les pays. Mais il ne se jette pas pour autant, la plupart du temps, dans l'activisme politique ; ce n'est pas un « écrivain engagé ». Non : il préserve l'écart. L'écart lui est précieux. C'est l'écart qui le fait souffrir. Comprendre. Écrire.

« Je m'aperçois que cette division dont j'ai pu souffrir, aujourd'hui j'y tiens et je veux la préserver. Cette division en danger permanent d'unité, d'unification, je ne sais quel serait le mot juste. Un déséquilibre qui aujourd'hui […] me fait exister, me fait écrire. » (Leïla Sebbar, *Lettres parisiennes*.)

61

Voici ce que disent, me semble-t-il, ces écrivains d'une nouvelle espèce.

Ils disent, d'abord, que dans un monde où chacun peut choisir sa religion comme on choisit une marque de yaourt au supermarché, et en changer comme on change de chemise, nous n'allons plus pouvoir trouver de réconfort, de certitudes identitaires du côté de l'Au-delà.

Ils disent, ensuite, que nous en savons trop sur l'infiniment petit et l'infiniment grand, c'est-à-dire sur les chromosomes et les planètes, c'est-à-dire sur le caractère hautement arbitraire, improbable et donc dérisoire de notre présence sur la Terre. « Et souvent et volontiers, écrit Pirandello dès 1904, dans son étonnant roman *Feu Mathias Pascal* – souvent et volontiers, oubliant que nous ne sommes que des atomes infinitésimaux, nous nous portons mutuellement respect et admiration, prêts au surplus à nous battre pour un menu morceau de sol ou à nous plaindre pour des choses qui, si nous étions vraiment pénétrés du peu que nous sommes, devraient nous apparaître comme de misérables babioles. »

Ils disent qu'il ne pourra plus jamais y avoir, pour nous autres privilégiés malheureux, d'identité facile, évidente, donnée une fois pour toutes. Que les points de repère des lecteurs d'antan, c'était peut-être beau mais que c'est terminé. Que *je est un autre* de façon irrémédiable. Que nous sommes d'emblée multiples, non seulement à cause du brassage des populations et des langues dans nos pays, non seulement parce que la télévision nous fait pénétrer dans une kyrielle de cultures diverses – mais, de façon plus profonde, plus existentielle, parce que chacun de nous est la résultante de deux êtres irréductibles l'un à l'autre, et que, dès la naissance, nous sommes *fabriqués* par le regard, l'attente, les gestes et paroles de nos semblables.

Ils disent que subsistent néanmoins, et continuent d'être dignes d'intérêt, des particularités, des nuances, des différences, non seulement individuelles (ça, c'est facile), mais – oui, aussi – culturelles.

Ils disent, enfin, qu'être *deux*, même si c'est inconfortable, même si cela vous rend parfois nostalgique, voire dépressif, vaut mieux que d'être *un* (le mot identité, comme chacun sait, vient du latin *idem*, même)... et mieux, aussi, que d'être *trente-six* (pauvre Gary !).

La mélancolie fait presque toujours partie de la *Weltanschauung* de cette nouvelle espèce d'écrivains ; l'auto-ironie aussi. Même lorsqu'ils sourient, on discerne souvent une légère tristesse dans leurs yeux. Écoutons-les...

« Et je ne suis même pas étranger. Je ne suis ni d'ici ni de là. Je suis de quelque part entre les deux, observa Gesser d'un ton mélancolique. » (David Homel, *Un singe à Moscou.*)

« Les exilés, les nouveaux et même les anciens exilés, sont ainsi. Il y a en eux un mécanisme de balance qu'ils ne peuvent plus arrêter, ils comparent sans cesse, là-bas et ici, ici et là-bas, peut-être leur faudrait-il une nationalité rien qu'à eux, la nationalité d'ici et de là-bas, et du mélange spécial que cela fait et qui n'a pas de nom. » (Pierrette Fleutiaux, *Allons-nous être heureux ?*)

Ou encore Salman Rushdie, dans une interview récente : « En clair, l'une des conséquences de la migration c'est que chaque aspect de la vie du migrant est remis en question [...]. Littéralement, tout ce qui concerne votre culture d'origine et votre système de croyance et du reste de votre personnalité est remis en question car […] les racines du soi, classiquement, sont censées se trouver dans le lieu d'où l'on vient, la langue qu'on parle, les gens qu'on connaît, et les traditions que l'on pratique. Et lorsqu'on migre […], on perd ces quatre racines à la fois et on est soudain obligé de trouver une nouvelle façon d'enraciner son idée de soi. »

La double appartenance est moins sereine, moins sûre de soi que la « créolité » prônée par Chamoiseau et Confiant ; elle admire éventuellement mais n'imite pas les théories glossolaliques d'Édouard Glissant et son « Tout-Monde » ; de même, elle a tendance à se méfier des jeux interlinguistiques à la James Joyce car, pour elle, l'interpénétration des langues et des cultures ne relève pas de l'amusement. Et elle n'a à peu près *rien* à voir avec le lénifiant discours du « multiculturalisme » actuellement en vogue aux États-Unis, qui n'est souvent qu'un masque commode pour la réaffirmation des identités particulières les plus étroites, les plus visibles, sur un mode puérilement arrogant et intolérant, suffisant.

La division, au contraire, induit souvent un sentiment d'*insuffisance*, de culpabilité tous azimuts : le dédoublement peut se vivre comme duplicité, voire, dans les cas extrêmes (comme celui de Gary) de schizophrénie.

Ces écrivains d'une nouvelle espèce savent qu'il est absurde d'être nationaliste, sectaire, fier de soi, et de mettre son talent au service d'une cause quelconque (révolutionnaire, morale, religieuse), parce qu'il est absurde, déjà, ou alors miraculeux, ce qui revient au même, d'être en vie. Ces écrivains ne sont ni des héros, ni des victimes. Ils portent sur eux-mêmes, et par conséquent sur l'espèce humaine aussi, un regard sans complaisance. Ils s'intéressent davantage aux faibles qu'aux forts, et sont plus à l'aise dans le paradoxe que dans la parabole. Sauf cas de force majeure, ils ne font ni la morale ni la guerre. Il est rare qu'ils prononcent des discours ou assument des responsabilités politiques. Ils fuient le chaos, quand cela leur est possible, plutôt que de le refléter dans leurs livres. Ils construisent, reconstruisent, sur la page, un monde où il leur est possible de respirer, de vivre. Leur pays c'est l'écriture. (« Notre seule nation c'est l'imagination », dit quelque part Confiant.) Ils n'ont pas à cœur de flatter les certitudes, mais de les ébranler.

Voilà ce qu'ils font, voilà la seule et unique chose qu'ils font

… mais en profondeur.

1996

Bulletin de Lettre internationale, n° 5, été 1996 ; *Liberté,* n° 229, vol. 39, n°1, février 1997.

II
LIRE ET RELIRE

L'ÉVANGILE SELON SAINT MATTHIEU

À la mémoire du révérend
William J. Huston

Matthew... J'entends encore, dans la bouche de mon grand-père pasteur, la douceur du mot « Matthieu » prononcé à l'anglaise, le *th* faisant légèrement siffler la langue sur les dents, le *M* initial mouillant comme du miel les lèvres pleines, les voyelles sortant de sa gorge claires et sonnantes, jamais tonnantes... Je peux me tromper mais il me semble que le nom de cet évangéliste-là suscitait en lui, chaque fois, un émoi particulier.

Ce grand-père était l'enfant d'un couple qui aurait pu bénéficier de quelques miracles bien placés. Son père, totalement sourd et pour cette raison analphabète, était bûcheron en Ontario (nous sommes dans la dernière décennie du XIXe siècle). Dans un des campements où il travaillait, il s'éprit de la cuisinière irlandaise – qui, elle, n'était pas sourde mais aveugle, et de surcroît plus toute jeune. Ils se marièrent et eurent deux fils en succession rapide ; la mère, très pieuse, accepta un emploi comme gardienne de l'église méthodiste en face de leur maison. Elle fut emportée par la maladie quand ses fils étaient adolescents ; l'aîné dut abandonner l'école pour aider à entretenir la famille mais le cadet, mon grand-père, put poursuivre ses études grâce à l'aide de certains amis méthodistes ; quand son père mourut cinq ans plus tard, ils le prirent entièrement en charge. Il n'oublia jamais sa dette à leur égard et décida, dès cette époque, de se faire pasteur dans cette église.

Lui, bien sûr, lorsqu'il commençait un sermon ou une séance de prières en famille par une citation de l'*Évangile selon saint Matthieu*, avait lu, ce qui s'appelle lire, le livre en question. Sa fille cadette allait le lire à son tour, et en être durablement frappée, au point de se faire médecin missionnaire et de partir répandre son message, trente-cinq années durant, sur les pentes de l'Himalaya.

Mais pour moi, pour nous ses petits-enfants et les autres membres de l'assemblée, *Matthieu* n'était pas un livre, ni même l'auteur de ce livre : c'était toujours et exclusivement une citation – des citations – des bribes choisies comme point de départ d'une leçon morale, le plus souvent mièvre pour ne pas dire ennuyeuse comme la pluie… ce qui n'empêchait pas de s'imprimer en nous la poésie du texte lui-même (plus densément truffé de « perles » que les grandes pièces de Shakespeare) – et, inséparable de cette poésie, l'image d'*un certain Jésus*, image qui non seulement m'accompagne encore mais fait partie de ce que je suis.

Quinze années durant, dans les nombreuses églises protestantes et anglicanes où je suis allée à « l'école du dimanche » puis aux cours de catéchisme, j'ai absorbé des micro-doses de *Matthieu* sans le lire, sans savoir en quoi cet Évangile se distinguait des trois autres officiels, sans même soupçonner qu'il en existait d'autres encore, officieux (les évangiles gnostiques : censurés, supprimés)… sans savoir, et c'est là le plus incroyable, que la vie de Jésus s'inscrivait quelque part dans l'histoire et la géographie du monde. L'Israël et l'Égypte bibliques, pas plus que l'île de Peter Pan ou que le bois dormant de la Belle, ne pouvaient se situer sur la même planète que les villes de Calgary, Red Deer et Edmonton ! *Bethléem, Nazareth, Galilée* : syllabes magiques, incantatoires... Les Évangiles étaient semblables aux contes de fées par les miracles qui s'y opéraient, les démons qui y sévissaient, les ciels qui s'y ouvraient et les Voix désincarnées qui y déclamaient des phrases impressionnantes ; mais, à la différence des fables des soirs de semaine, peuplées de sorcières et de dragons, celles du dimanche matin étaient prises au sérieux par les adultes qui nous les racontaient. Tout en menant par ailleurs une vie d'un prosaïsme décourageant – occupés, comme mon père, à enseigner les mathématiques ou, comme ma grand-mère, à polir l'argenterie – ils semblaient *souscrire* à ces histoires abracadabrantes et, pour nous inciter à faire de même, ils s'acharnaient à nous les rendre lourdes, graves, morales surtout.

Si, en dépit de mon éducation tout de même plus longue et plus élaborée que la moyenne des éducations dans ce bas-monde, j'ai pu ignorer jusqu'à l'âge de seize ou dix-sept ans que Jésus, les scribes, les Pharisiens, Judas, les prophètes et l'Ancien Testament étaient... (mon Dieu !) *juifs*, et que l'Israël de la Bible était sinon le même État du moins la même terre que l'Israël qu'évoquaient les journaux contemporains, à propos par exemple de la guerre de 1967... c'est évidemment parce que l'instruction religieuse n'a pas trait au *savoir* mais à la *foi*. Nous montrer Israël sur un globe ou nous situer la vie de Jésus par rapport à l'histoire de l'Empire romain eût dissipé le « flou mythique » crucial à tout système de croyance. Il s'agissait de nous faire percevoir les événements de la vie de Jésus *et* comme vrais, *et* comme relevant d'un autre ordre de vérité que les faits banalement circonscrits dans l'espace et le temps.

Le dogme chrétien (comme tout dogme religieux) est composé de quatre strates de nature différente ;

chacune préserve certains éléments de la précédente et en écarte d'autres. Tout en haut, perdues dans les brumes du passé, il y a les phrases qu'aurait réellement prononcées un jeune juif charismatique né en Palestine pendant l'occupation romaine, et dont nous ne savons en définitive presque rien. Ensuite il y a les Écritures : entre trois et sept décennies après la mort de cet homme, à un moment où le judaïsme mis à mal se recroquevillait sur son identité ethnique et ses lois millénaires, les évangélistes et autres auteurs du Nouveau Testament ont cherché à consolider la doctrine d'une Église rebelle, moins tatillonne et plus ouverte sur le monde. Troisièmement, il y a ce qu'ont retenu et propagé de ces Écritures (tronquées et travesties, combinées et confondues) une foule de prêtres et de pasteurs au long des âges, chacun selon son caractère personnel et les besoins politiques de son époque… Et enfin, dernière strate : ce qu'ont retenu de ces prêches les millions d'ouailles (dont moi) pour leur usage personnel, parce que cela les aidait à vivre ou, au contraire, leur donnait contre quoi se révolter.

On est tenté de dire que toute ressemblance entre la première et la dernière strates serait fortuite… ou alors, miraculeuse !

Je viens enfin de lire, ce qui s'appelle lire, pour la première fois, L'Évangile selon saint Matthieu. Et, ayant acquis depuis mon enfance une longue habitude de lecture et de jugement sur les textes, ayant appris par ailleurs certaines choses sur l'histoire du christianisme en général et la fabrication des Évangiles en particulier, cette lecture a produit en moi des sentiments très mélangés. Émotion devant la profonde beauté de certaines phrases de Jésus. Indignation intellectuelle devant ses contradictions. Scepticisme vis-à-vis de ses miracles. Surprise renouvelée devant l'effort systématique déployé par

« Matthieu » (nous ne savons rien de l'auteur de ce texte, sinon qu'il ne s'agit pas de l'apôtre percepteur d'impôts, et probablement pas d'une seule personne) pour faire coïncider chaque détail de la vie du Christ avec une prophétie de l'Ancien Testament, quitte à inventer quelques épisodes de toutes pièces...

Et, peu à peu, j'ai compris. Ce n'est pas pour rien que ce petit texte d'une cinquantaine de pages, vieux d'un peu moins de deux mille ans, figure parmi les écrits les plus influents de l'Histoire humaine.

Ce n'est pas pour rien. Ce n'est pas non plus pour une raison, mais pour mille raisons – différentes, divergentes – c'est-à-dire non *en dépit* mais *grâce à* ses contradictions internes. En effet, les visages du Christ que nous propose « Matthieu » sont non seulement multiples mais incompatibles ; du coup, chacun peut susciter l'identification d'un groupe de lecteurs... Et si l'on songe aux *non*-lecteurs dont j'ai fait partie jusqu'à maintenant, et qui ont toujours composé l'immense majorité de ceux qui professaient la foi « chrétienne », les possibilités d'identification deviennent presque infinies.

Passionnante lecture en vérité ! Quelle histoire, que cette histoire ! Il y a de tout là-dedans !

Il y a le Jésus « humain » du Sermon sur la Montagne : c'est surtout Celui-là que m'a présenté mon grand-père, et auquel lui-même s'est efforcé toute sa vie de ressembler : né comme le Christ dans des circonstances plus que modestes, il n'a jamais cessé de prôner et de pratiquer la compassion, le respect pour les humbles, le secours pour les miséreux... Humain, le Jésus de Matthieu l'est aussi par la peur et le doute qui l'étreignent dans le jardin de Gethsémani : « Mon âme est triste jusqu'à la mort » ; « Mon Père, s'il est possible, faites que ce calice s'éloigne de moi » (XXVI, 38-39) : c'est le Christ bouleversant de la *Passion selon saint Matthieu* de Bach.

Il y a un Jésus « humain » au sens négatif aussi, c'est-à-dire susceptible, orgueilleux, animé par la haine : de Celui-là on a dû énormément parler aux Européens, puisqu'ils s'en sont prévalus pendant des siècles pour persécuter voire massacrer les juifs ; de nos jours encore, dans la ville de Paris, une petite fille juive peut s'entendre siffler par ses camarades de classe (sans rien comprendre, sinon que c'est grave) : « Tu as tué Jésus »… Mais jamais on ne nous a parlé de cela dans l'Ouest du Canada, entre autres parce qu'il y avait très peu de juifs dans les parages. Encore comme dans la *Passion* de Bach, où le chœur est changeant comme un cœur humain – bon puis méchant, fidèle puis traître – nous comprenions que *nous* avions aimé, suivi, écouté et admiré Jésus, et que *nous* L'avions crucifié (excellente introduction, me semble-t-il maintenant, à la psychologie des foules). Ni mon grand-père ni les autres prédicateurs de mon enfance n'ont cité devant nous le Jésus qui déblatère contre ses ennemis (après nous avoir enjoint, à nous ses fidèles, de les aimer, de leur présenter l'autre joue, de leur pardonner leurs offenses jusqu'à sept fois septante fois !) ; celui qui traite les pharisiens et les scribes d' «hypocrites» ou de «serpents, races de vipères» (XXIII, 33) et leur dit qu'ils vont voir ce qu'ils vont voir, le jour du Jugement dernier : « C'est là qu'il y aura des pleurs et des grincements de dents » (*passim*) ; ni celui qui déclare : « Douze légions d'anges, si je voulais ! » (XXVI, 53), comme un gosse qui, se sentant menacé, roule les mécaniques.

Il y a un Jésus « surhumain » au sens positif : c'est celui dont la naissance et le baptême sont entourés d'événements surnaturels (même si la première page du texte nous fait sursauter, pauvres rationalistes modernes que nous sommes devenus – car, après avoir décliné sur quarante-deux générations la série d'ancêtres reliant directement Joseph à Abraham, Matthieu enchaîne en nous informant que Marie était enceinte avant d'avoir « connu » son mari ; Jésus n'a donc rien à voir avec cette généalogie illustre) ; les miracles et les exorcismes ; les confrontations avec le Diable en personne, dont Jésus sort toujours, cela va de soi, vainqueur...

Et il y a le Jésus « surhumain » au sens négatif ; de Celui-là non plus, on ne nous a soufflé mot : c'est Celui qui, entrant dans la ville de Béthanie et se sentant un petit creux, fouille parmi les feuilles d'un figuier et, furieux de voir que l'arbre est sans fruit, le *tue*, purement et simplement (XXI, 17-21) ! Lui qui était capable de nourrir des milliers de personnes avec quelques pains et quelques poissons, lui qui nous recommande de ne pas nous soucier de ce que nous allons manger mais d'imiter à cet égard les « oiseaux du Ciel » (VI, 26), comment a-t-il pu punir ainsi un arbre innocent ?

Même les énoncés christiques apparemment les plus limpides peuvent se prêter à des interprétations disparates. Dans « le Royaume du Ciel est proche », par exemple, il nous est loisible d'entendre une menace ou une promesse. C'est indiscutablement comme une menace que l'entendait « Matthieu » lui-même, c'est-à-dire le ou les individus qui, une décennie environ après la destruction du grand temple de Jérusalem (en l'an 68) et la défaite définitive des juifs par les Romains (en l'an 70), tenait à montrer que Jésus avait *prédit* ce cataclysme, juste punition des juifs ayant refusé de reconnaître en lui leur Messie.

Mais pour mon grand-père, comme pour tous ceux qui nous ont enseigné les Évangiles là-bas, dans l'Ouest du Canada, cette même phrase voulait dire tout autre chose. « Le Royaume du Ciel est proche » (en anglais : *at hand*) : Regardez ! il suffit de tendre la main pour toucher le paradis : il est *là,* devant vous, ici et maintenant !

Même enfant, je me souviens, j'ai parfois été embêtée par les contradictions entre les différents propos de Jésus. Je savais qu'Il avait dit, d'une part : « Honore ton père et ta mère » (XIX, 19), et, d'autre part : « Celui qui veut me suivre doit renier père et mère » (XIX, 29). Comment faire pour concilier ces deux injonctions ? On nous a caché, en revanche, cette prédiction par trop violente : « Les enfants se soulèveront contre leurs pères et leurs mères, et les feront mourir » (X, 21), de même que la scène où la mère et les frères de Jésus viennent lui parler et où il refuse de les voir (XII, 46-50). Je percevais Jésus comme un pacifiste en raison de sa phrase célèbre et belle : « Ceux qui prendront l'épée périront par l'épée » (XVI, 52) ; comment admettre, ensuite, qu'il dise être venu apporter non « la paix, mais l'épée » (X, 34) ? Et comment mon grand-père doux comme un agneau avait-il pu traverser l'Atlantique, en 1916, exprès pour tuer des Allemands ? Ou encore : puisque parmi tous ses disciples Jésus avait choisi Simon, rebaptisé Pierre, pour fonder sur lui son Église (XXI, 18), pourquoi reprochait-il sans cesse à ce même Pierre son peu de foi, lui lançant même la terrible malédiction : « *Vade retro, Satanas* ! » (XXI, 23).

Notre Jésus à nous n'a rien dit de la fornication ni des eunuques ; ce n'étaient pas des mots qui pouvaient franchir les lèvres des pasteurs canadiens dans les années cinquante. Je ne sais pas comment j'aurais réagi si mon grand-père avait démarré un sermon en disant : « Quiconque épouse celle que son mari aura quittée commet un adultère » (V, 32) : n'avait-il pas lui-même uni en mariage mon père et sa deuxième épouse ?... Plus surprenant encore : « Il y a des eunuques qui sont nés tels dès le ventre de leur mère » (XIX, 12)... Non, ce genre de passage aurait entraîné les ouailles trop loin dans leurs fantasmes ; il valait mieux les passer sous silence...

Ce n'est pas seulement sur les chrétiens pratiquants que les différents « Jésus » de « Matthieu » ont exercé leur influence. Encore à l'époque moderne, ils ont servi de modèle positif pour des écrivains et penseurs aussi peu catholiques et aussi variés que Hannah Arendt (innocence), Simone Weil (pureté, chasteté, pauvreté), Romain Gary (altruisme), Etty Hillesum (non-résistance au mal), Göran Tunström (amour), Breyten Breytenbach (martyrisation)... et de contre-modèle, bien sûr, pour Friedrich Nietzsche (faiblesse, soumission, renoncement, servilité).

La personnalité multiple de Jésus à l'intérieur de l'*Évangile selon saint Matthieu* explique en partie la diversité extraordinaire des usages qu'on a pu faire de lui depuis deux mille ans. Jamais il n'aurait imaginé par exemple qu'un jour, en son nom, à plus de quinze mille kilomètres des lieux où il prêchait, au milieu de prairies où ondulaient à perte de vue, selon la saison, épis de blé ou monceaux de neige, à l'intérieur d'une minuscule église en bois peinte en blanc, dans un village peuplé exclusivement d'êtres à peau blanche, devant des tableaux de lui – poupon ou cadavre, mais doté également, bizarrement, d'une peau blanche – en son nom, donc, une main de grand-mère, ferme, colérique et gantée de Nylon beige, frapperait vivement le genou droit de sa petite-fille pour le rapprocher de son genou gauche – car, n'est-ce pas, mille neuf cent soixante ans après sa naissance, il était indécent pour une fillette en jupe de se tenir à l'église comme si elle était un garçon, les cuisses écartées.

Il n'aurait pas davantage imaginé qu'en son nom, à Prague, le jour du Vendredi saint 1386, l'on noierait dans leur sang des milliers d'enfants, de femmes et d'hommes, pour leur seule appartenance à la religion juive. Ni qu'en son nom : croisades meurtrières, colonisation, extermination des Indiens, spoliation des pauvres pour la construction de cathédrales somptueuses, massacre de la Saint-Barthélémy, monastères austères à en mourir, punitions corporelles dans les écoles britanniques, *Notre-Père* diffusé chaque matin par haut-parleur dans les écoles américaines, Papamobile, télévangélistes avides de dollars, guerre civile interminable en Irlande, touristes obèses suant et ahanant sous le poids d'une Vraie Croix à Bethléem, malheureuses petites pensionnaires françaises contraintes de porter sur le dos, en classe, les draps qu'elles avaient souillés pendant la nuit...

Mais aussi, en son nom : églises où ont été scandés, marqués, sacralisés, les moments forts d'innombrables vies humaines : naissances, mariages et décès, chagrins et espoirs, dans le recueillement d'une prière silencieuse ou dans la ferveur d'un groupe chantant avec des orgues assourdissantes. Toiles, sculptures, musiques du plus haut génie, cadeaux du fond du cœur offerts, réconfort trouvé, repas partagés, petites gens s'épaulant et s'élevant contre l'injustice, mains secourables tendues, paroles proférées pour apaiser la souffrance, gestes d'amour et de charité repris, répétés et répandus au long des siècles, un peu partout dans le monde...

En repensant au mot de *Matthew*, si doux dans la bouche de mon grand-père, je sais gré aux chrétiens de mon enfance de m'avoir épargné ce que pouvait avoir de délétère l'*Évangile selon saint Matthieu*, et de ne m'en avoir transmis que les extraits les plus généreux et émouvants. Si jamais la « bonne nouvelle » m'a un tant soit peu améliorée, c'est grâce à eux.

2001

Préface à l'*Évangile selon saint Matthieu*, Mille et une nuits / Serpent à plumes, 2001.

MARGUERITE DURAS :
LES LIMITES DE L'ABSOLU

La voix de Marguerite Duras aura marqué ce demi-siècle littéraire, en France et dans le monde. C'est une voix sans chichis et sans concessions, une voix qui résonne tels les pas d'un prêtre sur les dalles d'une église vide, ou d'une crypte, une voix de fulgurance et d'éblouissement, qui laisse des traces. Une voix qui vous somme justement de fermer les yeux, de lâcher les rênes de la raison, de vous laisser hypnotiser par sa syntaxe singulière, bercer par ses rythmes comme par la mer...

La littérature qu'a produite cette voix est à bien des égards une littérature religieuse, touchant aux arcanes de la sexualité et de la mort, invoquant et décrivant sans cesse des absolus (le Tout, le Rien, la souffrance et la jouissance paroxystiques), laissant de côté ce qui est spécifiquement humain (la société, la diversité, l'ennui).

On s'en souviendra, de ses phrases péremptoires et sibyllines, gravées dans notre mémoire comme les paroles divines sur des tablettes de pierre :

détruire, dit-elle
sublime, forcément sublime
que le monde aille à sa perte, c'est la seule politique
ma mère est devenue écriture courante
je suis devenue folle en pleine raison
je vous donne celle qui torture avec le reste
apprenez à lire, ce sont des textes sacrés

On s'en souviendra, aussi, de ses personnages. Ils existent, comme existent les personnages bibliques. Ce qu'ils font est fait ; on ne peut le défaire. (Elle dit : si je découvre qu'en fait mon personnage est amoureux de l'autre, je ne change pas le début, j'ajoute à la fin.) Ses manuscrits sont irrémédiables, incorrigibles, irréfutables. Lorsqu'elle retravaille un texte, dit-elle, elle ne change presque jamais les phrases. Seulement, parfois, l'ordre des phrases. Les évangélistes, une fois prise la dictée, ne demandent pas à Dieu de procéder à quelques petites révisions. Non. Les Écritures sont saintes.

Comme la Bible encore, ou comme la mythologie grecque, l'œuvre de Duras appelle une exégèse infinie, des interprétations concurrentes (j'ai entendu longuement débattre de ses personnages à Vancouver, à Dubrovnik... Aux États-Unis, certains professeurs de littérature française refusent maintenant les projets de thèse la concernant, tant la mode en est devenue envahissante...).

Comment fait-on, surtout lorsqu'on est femme, pour s'arroger une telle autorité, pour ainsi dire divine ?

À la naissance, on le sait, elle s'appelait Marguerite Donnadieu. Nom du père. Elle a publié sous ce nom, on le sait moins, un premier livre – sage, universitaire, émaillé de cartes, de chiffres et de graphiques – sur l'empire français, la situation des colonies françaises à travers le monde. Et puis non. Faux départ.

Ce sera Duras : les terres, les vignes, le lieu du père.

Et dur, aussi, probablement. Et durable.

Il durera, ce nom à graver dans la pierre (Duras inventera de façon obsessionnelle des noms en pierre ou en métal : Lol V. Stein, Stein, Aurélia Steiner, Yann Andréa Steiner... le Marin de Gibraltar, Max Thor).

Comment vous vient pareil besoin de tailler dans le roc ?

L'enfance en Indochine : la faim, la peur, le père qui meurt, la mère qui devient folle, et les autres autour, les autres cruels, toujours, et menaçants, qui vous regardent, et que vous ne pouvez comprendre, tous ces corps sans parole, sans langue commune, et puis la mer, la mer toujours, son bruissement, tout près du lit où se déroulent le crime, l'amour, le viol, la violence…

La guerre dans Paris occupé : la douleur, le deuil, l'horreur, la faim à nouveau, la mort du grand petit frère, un premier enfant mort à la naissance, « l'horreur d'un pareil amour », la résistance, la haine, la torture infligée, le mari arrêté, déporté, affamé, revenu « pas mort en déportation », la bombe atomique, Dieu de l'amour nucléaire, « Hiroshima mon amour », et puis la peur, la peur à nouveau, la peur de la folie, la peur de pire en pire, l'alcool, le coma, le délire, l'écriture, la peur.

Je ne lui jette pas la pierre.

On fait ce qu'on peut. Duras a pu, énormément.

Tout écrivain ment en sélectionnant, pour se créer un monde à l'intérieur de l'univers. On casse. On fait tomber ce que l'on considère comme inutile, futile, secondaire, insignifiant. Tel un sculpteur armé de son ciseau, on découpe, parmi l'infinité de mensonges possibles, les contours d'un mensonge qui sera le sien. Le roman réaliste n'a pas plus à voir avec le réel que le nouveau roman, ou que le théâtre de l'absurde. Mais il est intéressant de regarder les chutes : ce qui tombe, ce qui, de façon systématique, se trouve omis de l'œuvre.

Le choix durassien exclut – de façon intéressante, donc – la vie. Comme Dieu, elle aime à se pencher avec bienveillance sur les plus petites affaires humaines, les situations les plus banales. Mais elle a beau donner la parole aux footballeurs, aux bonnes à tout faire, aux marins, aux voyous, aux enfants : tous adoptent, pour s'exprimer, sa langue à elle, langue sublimée et sublime. Même leur façon de dire *oui* est durassienne à outrance.

N'importe quelle voiture de métro à neuf heures du matin contient plus de diversité humaine que toute l'œuvre de Duras.

La pauvreté, la misère, et plus généralement tout le domaine « social », depuis la faim des enfants cambodgiens dans *Le vice-consul* jusqu'à la lèpre dans *India Song*, en passant par la maison sinistrement ordinaire de Christine Villemin, seront métamorphosés, magnifiés dans son œuvre. Sont proches de l'écrivain car marginaux, hors société, au-delà du bien et du mal, la carmélite, le criminel, la prostituée, les juifs et les Arabes persécutés, la meurtrière, l'infanticide, le pervers… tous les bourreaux et victimes, réels ou imaginaires, qu'elle a croisés, parfois interviewés, et transformés en personnages.

On ne rit pas beaucoup, dans ses livres. Comme Dieu, là encore, elle manque d'humour, de fantaisie, de variété. Ce qu'elle a à dire est grave, qu'on se le tienne pour dit. Quand elle évoque de grands éclats de rire, dans ses conversations avec Yann Andréa, on a du mal à comprendre.

Et malgré la place considérable qu'occupent les dialogues dans ses romans (sans parler de ses pièces de théâtre), il n'y a pas de dialogue. Questions et réponses sont interchangeables. Il n'y a pas l'autre. Pas de différence vraie, intéressante, explorable, dicible parce que finie.

Ce qui fascine Duras : la solitude intersidérale, à deux, à une, à un, à plusieurs. Et, chez elle, l'effort sans cesse réitéré pour s'en affranchir, grâce à l'écriture. « Dès que nous appelons, nous devenons, nous sommes, déjà pareils. À qui ? À quoi ? À ce dont nous ne savons rien. Et c'est en devenant personne pareille que nous quittons le désert, la société [...]. Ce premier mot, ce premier cri on ne sait pas le crier. Autant appeler Dieu. C'est impossible. Et cela se fait. » (*Le navire Night.*)

La société, c'est le « désert ». Alors on s'en éloigne. On va boire à la source. On garde l'essentiel. Et l'essentiel, chez Duras, c'est toujours le pire. Le plus dénué, le plus proche du corps, du squelette, de la mort. L'expérience limite.

« Dès les premiers jours [au camp], écrit Robert Antelme dans *L'espèce humaine*, il nous paraissait impossible de combler la distance que nous découvrions entre le langage dont nous disposions et cette expérience que, pour la plupart, nous étions encore en train de poursuivre dans notre corps. » L'idée d'un « au-delà du langage », d'un inexprimable, est centrale à toute l'œuvre de Duras. Il s'agit de dire l'indicible : silence, cri, rage, folie, faim. Dépression. Non-communication. Non-rencontre.

Duras choisit le pire, et en fait une perfection.

Ainsi, tout ce qui crée une distance entre les êtres (différence de langue, de culture, de milieu social), source de terreur et de danger dans l'enfance de l'écrivain comme dans les camps où a séjourné son mari, contribuera dans sa fiction à « l'amour ». Il n'y a aucun espace social. Duras voit, constate : violence politique. Elle écrit, invente : violence sexuelle. Loin de souscrire au précepte féministe des années soixante-dix selon lequel « le personnel est politique », elle finira par être convaincue que « le politique est personnel ».

L'altérité est de l'ordre du fantasme, souvent un fantasme topographique. Se faire autre, c'est choisir de s'appeler Duras, lieu du père. Aimer l'autre, c'est aimer son nom de Venise. Calcutta désert. Lahore. Battambang. Toi tu t'appelles Hiroshima, et moi, Nevers. Tu me tues, tu me fais du bien.

Plus tu m'es étranger, plus je t'aime. Dans l'avant-propos d'*Hiroshima mon amour*, elle l'écrit en toutes lettres : « Entre deux êtres géographiquement, philosophiquement, historiquement, économiquement, racialement, etc., éloignés le plus qu'il est possible de l'être, HIROSHIMA sera le terrain commun (le seul au monde peut-être ?) où les données universelles de l'érotisme, de l'amour, et du malheur apparaîtront sous une lumière implacable ».

Quelles sont, au juste, ces « données universelles » ? Connaissant de près Georges Bataille, d'un peu plus loin Michel Leiris, Duras était bien sûr au courant des théories chères à ces écrivains à l'endroit de la littérature et de l'érotisme. La littérature comme tauromachie, l'érotisme comme sacrifice religieux. Puisque le vide ne vibre plus de la voix de l'Esprit invisible et éternel, il faut le faire vibrer par autre chose, et cette « autre chose » c'est le corps, « chose » par excellence, corps féminin, fécond, porteur de vie et de mort, objet, abject.

Duras évoque les héroïnes de Bataille dans des termes exaltés : « Edwarda et Dirty sont Dieu. Bataille nous le dit », écrit-elle dans la revue *La ciguë* en 1958. En quoi sont-elles Dieu ? « Edwarda et Dirty sont des possédées de la dépossession. Si Dirty aime et préfère encore un être au monde, Edwarda n'aime et ne préfère

plus rien. Sa prostitution lui a pénétré jusqu'au cœur. »
(« Tout en elles est sexe, et jusque l'intelligence », disait
Jean Paulhan dans sa préface à *Histoire d'O*.) Ou encore,
cette hyperbole spectaculaire : « Edwarda restera suffisamment inintelligible des siècles durant pour que toute
une théologie soit faite à son propos. »

Voilà comment, selon Duras, une femme peut
s'approcher du statut divin, devenir grandiose, impé-
nétrable, aussi « inintelligible » que Dieu. Presque
toutes ses héroïnes aspireront à cette « possession de
la dépossession » et seront, par elle, privées d'esprit, de
parole, d'intelligence, de raison. « Toutes les femmes de
mes livres, écrit-elle dans *La vie matérielle*, quel que soit
leur âge, découlent de Lol V. Stein. C'est-à-dire, d'un
certain oubli d'elles-mêmes. Elles ont toutes les yeux
clairs. Elles sont toutes imprudentes, imprévoyantes.
Toutes, elles font le malheur de leur vie. Elles sont
très effrayées, elles ont peur des rues, des places, elles
n'attendent pas que le bonheur vienne à elles. Toutes
les femmes de cette procession des femmes des livres
et des films se ressemblent… » C'est-à-dire que toutes
sont et ne sont pas Marguerite Duras elle-même, qui
possède tous ces traits (l'agoraphobie notamment), mais
possède aussi l'unique trait qui annule ou du moins
rachète les autres, et que n'ont jamais ses héroïnes : la
capacité d'écrire. Duras réussit cet exploit qui consiste
à jouer, dans le rituel religieux qu'est pour elle la
littérature, deux rôles à la fois : elle est le dieu tout-
puissant, créateur/destructeur, et en même temps la
victime sacrificielle. Son œuvre nous offre ces femmes
ouvertes, abjectes ou folles, perdues à elles-mêmes,
oublieuses d'elles-mêmes, abandonnées à la violence soit
des éléments (la mendiante), soit des hommes (Anne-
Marie Stretter). Et, par le fait même qu'elle les met à

distance, les met « en œuvre », elle proclame sa totale altérité par rapport à elles.

Dans *Barrage contre le Pacifique*, c'est l'entrée dans l'érotisme de la fille qui provoque la mort de la mère. Dans *L'amant* on apprend que, loin de rendre l'âme quand sa fille s'est initiée à l'amour, la mère l'a plutôt encouragée, car le Chinois déflorateur était riche. En revanche, Duras dit dans ce livre sa certitude, encore très jeune, de devoir endiguer la folie maternelle par l'écriture. Sa mère était contre ce choix, et ce choix était contre sa mère.

C'est la mère morte qui permet à la fille d'écrire. Ce rêve, que Duras raconte dans *Les yeux verts*, le dit explicitement : « On donnait *Éden Cinéma* au Théâtre d'Orsay. Et une nuit, après la fin des représentations, j'ai rêvé que je pénétrais dans une maison à colonnades, qu'il y avait là comme des vérandas intérieures, profondes, qui donnaient sur des jardins. En entrant dans cette maison, j'ai entendu les airs de Carlos d'Alessio, la valse de l'*Éden Cinéma* et je me suis dit : tiens, Carlos est là, il joue. Et je l'ai appelé. Personne n'a répondu. Et de l'endroit d'où venait la musique ma mère est sortie. Elle était déjà prise par la mort, elle était putréfiée déjà, son visage était plein de trous, verdâtre, déjà. Elle souriait très légèrement. Elle m'a dit : "C'était moi qui jouais." Je lui ai dit : "Mais comment est-ce possible ? Tu étais morte." Elle m'a dit : "Je te l'ai fait croire pour te permettre d'écrire tout ça." »

Dans la vraie vie, ni l'érotisme ni l'écriture n'ont provoqué la mort de la mère de Marguerite Duras. Mais on peut être frappé par le fait que lorsque cette mort survient enfin en 1957, elle coïncide avec la découverte par Duras du plaisir masochiste. « On a encore fait l'amour. On ne pouvait plus se parler. On buvait. Dans le sang-froid, il frappait. Le visage. Et certains endroits du corps. On ne pouvait plus s'approcher l'un de l'autre sans avoir peur, sans trembler. Il m'a conduite jusqu'en haut du parc, à l'entrée du château [...]. Ma mère n'était pas encore mise en bière. Tout le monde m'attendait. Ma mère. J'ai embrassé le front glacé [...]. Il m'attendait dans le parc. » (« Le dernier client de la nuit », in *La vie matérielle*).

Cette même expérience donnera lieu à *Moderato cantabile* et à *L'homme assis dans le couloir*.

Le chef du block, dit Antelme dans *L'espèce humaine*, « savait qu'on pourrait voir, sans bouger, assommer de coups un copain et qu'avec l'envie d'écraser sous ses pieds la figure, les dents, le nez du cogneur, on sentirait aussi, muette, profonde, la veine du corps : "ce n'est pas moi qui prends" ».

Contempler la souffrance d'autrui en se réjouissant de ne pas subir, soi, la même souffrance : tel est le pacte qu'établit Duras avec son lecteur dans *L'homme assis...* L'homme frappe, regarde, agit, tandis que la femme allongée par terre a les yeux fermés ; mais il y a une troisième instance : « moi, je », doté(e) de regard. Duras insiste de plus en plus sur la vue de ce moi, à mesure que l'héroïne est anéantie. La femme, « elle ne peut pas voir l'homme » ; « elle n'aurait rien dit, elle n'aurait rien regardé [...]. Elle sait qu'il la regarde, qu'il voit tout. Elle le sait les yeux fermés comme je le sais moi, moi qui regarde ». Encore et encore, les yeux du personnage féminin « s'entrouvrent sans regard et se referment ». Pour l'ouïe, cependant, le narrateur se confond parfois avec le personnage : « Nous entendons que l'on marche, elle et moi. »

Voici la fin du texte, dans la version qui date de 1980 : « Je vois que le corps de même se laisse frapper, qu'il est abandonné, hors de toute douleur. Que l'homme insulte et frappe… Et puis je vois… Je vois… Je vois que d'autres gens regardent… Je vois que l'homme pleure couché sur la femme. Je ne vois rien d'elle que l'immobilité. Je l'ignore, je ne sais rien, je ne sais pas si elle dort. » La version originelle (publiée en revue en 1962) ne laisse planer aucun doute sur le sort de l'héroïne : dans les dernières lignes du texte des mouches lui mangent le bras.

De même, dans *La maladie de la mort,* un « je » invisible est présent, qui voit. Ce « je » dit « vous » à l'homme qui s'acharne sur « elle », cherche à apprivoiser son corps, pleure en la pénétrant, veut la tuer, tandis que « elle », comme toujours, est assoupie, souriante, absente.

Aimer, ce n'est surtout pas échanger, offrir, écouter, compatir, comprendre. Au contraire. C'est vouloir tuer, vouloir mourir, vouloir se suicider. C'est furtif, secret, criminel, absolu, marginal. Sublimé et sublime. L'amour, c'est le geste meurtrier de Christine Villemin sur son fils, d'après Duras. C'est sa propre attente d'Antelme en 1945, attente au cours de laquelle elle s'est trouvée « scellée à Dieu ». C'est la lettre d'amour d'Emily L. au gardien, qui évoque « l'attente d'un amour, d'un amour sans encore personne peut-être, mais de cela et seulement de cela, de l'amour. Je voulais vous dire que vous étiez cette attente. »

Pour pouvoir « aimer » l'autre, on a besoin qu'il soit aboli, absent, dans le coma, endormi, au camp, mort, anonyme, étranger, le plus loin possible. Yann Andréa n'a jamais autant désiré Marguerite Duras que pendant son coma alcoolique ; elle l'a senti ; il l'a confirmé ; nous saurons tout.

Les choses sont ainsi. Amen.

Le ton durassien distinctif est celui de la superlative retenue (*Je connais la vérité ultime, je ne vous dis que ça*).

Je crée un monde et je dis qu'il est le monde.

Qu'il en est, en a toujours été, et en sera toujours ainsi.

Aux hommes l'esprit, et aux femmes la matière. « En principe, les hommes ne font rien pour les enfants. Rien de matériel […]. Même si elle écrit beaucoup plus, la femme, eu égard à l'homme, n'est pas changée. Son aspiration essentielle est encore de garder la famille, de l'entretenir. » (*La vie matérielle.*)

Aux hommes l'aventure, aux femmes l'amour. « L'homme se croit un héros, toujours comme l'enfant. L'homme aime la guerre, la chasse, la pêche, les motos, les autos, comme l'enfant. Quand il dort, ça se voit, et on aime les hommes comme ça, les femmes. Il ne faut pas se mentir là-dessus. On aime les hommes innocents, cruels, on aime les chasseurs, les guerriers, on aime les enfants ».

« Le paysage féminin est essentiel, essentialiste même, affirme encore Duras dans une interview radiophonique. Celui de l'amour fou, tenu comme une note de musique pendant des décennies. Voilà la vie de la femme. C'est tuant et admirable. »

Abdication par les femmes de la volonté, de la raison, de la parole. Et de ce silence peut surgir… *ma parole*. Moi seule parle. Moi seule réchappe à la malédiction séculaire qui frappe la femme qui écrit. Le « Captain », mari d'Emily L., menacé par la beauté opaque du poème qu'elle a ébauché sur la lumière des après-midi d'hiver (pour ceux qui se seraient posé la question, il s'agit du poème n° 258 d'Emily Dickinson), le jette au feu. Et l'élan littéraire de la jeune femme est brisé à jamais.

« J'écris comme il faut écrire il me semble. J'écris pour rien. Je n'écris même pas pour les femmes. J'écris sur les femmes pour écrire sur moi, sur moi seule à travers les siècles. » (*La vie matérielle.*)

Ainsi Duras – *moi seule à travers les siècles* – sera-t-elle l'unique femme de l'univers durassien à avoir, sans le perdre, sans l'abdiquer, sans le laisser confisquer ni abîmer par les hommes, ce « don de Dieu » qu'est l'esprit.

Dans les cinquante ans qui séparent *Les impudents* de *C'est tout* (comme, toutes proportions gardées, Beckett entre *Murphy* et *Soubresauts*), les écrits de Marguerite Duras, au lieu d'évoluer vers la complexité, n'ont fait que se dépouiller et se simplifier, décrivant autour de sa propre personne des cercles concentriques de plus en plus rapprochés. Je suis – celle qui est – moi – l'écriture – moi seule – au commencement – le Verbe – le sexe – moi toute seule – la mort – seule…

Voilà ce qu'elle tenait à nous dire, mais alors, *absolument.*

1998

La Nouvelle Revue française, n° 542, « Marguerite Duras », mars 1998.

TOLSTOÏ ET SARTRE :
BONNE FOI, MAUVAISE CONSCIENCE

Fiction is so very much an incarnational art...
FLANNERY O'CONNOR

Raconte-moi une histoire !

Oui d'accord, avec plaisir...

C'est l'histoire parallèle de deux hommes qui ne se sont jamais rencontrés mais qui, aux yeux du monde, ont chacun incarné leur pays, leur époque et quasiment leur siècle : Lev Tolstoï et Jean-Paul Sartre. Tous deux ont cherché, et dans une large mesure réussi, à embrasser la totalité de l'expérience humaine, à travers la pratique des formes d'écriture les plus diverses ; à travers, aussi, leur besoin d'enseigner, d'œuvrer publiquement pour l'amélioration du genre humain, de se donner en exemple et de se mettre personnellement et à chaque instant en jeu, en cause, en scène. C'est aussi, un peu, l'histoire des femmes avec lesquelles ils ont partagé leur vie : Sophie Tolstoï et Simone de Beauvoir.

La question que j'essayerai d'aborder à travers cette histoire est celle d'un tournant décisif dans la littérature européenne, peut-être annonciateur de son déclin ; pour l'instant, formulons la question ainsi : comment se fait-il que, malgré tout ce qui les rapproche, Tolstoï soit devenu un immense romancier et Sartre, un intellectuel, un publiciste, un discoureur, un philosophe ? Pourquoi le semblable a-t-il engendré du dissemblable ?

93

Naquirent, donc, pour commencer au commencement, deux garçons : Jean-Paul et Lev. Milieu aisé, enfance choyée.

Très tôt dans leur existence, comme dans presque tous les contes, l'un et l'autre garçons se retrouvent orphelins. À deux ans, Lev perd sa mère et, à neuf ans, son père. Le père de Jean-Paul meurt avant son premier anniversaire ; il n'en gardera aucun souvenir. Les garçons seront élevés par des parents proches : dans le cas de Jean-Paul, les grands-parents maternels, puis sa mère et son beau-père ; dans le cas de Lev, les grands-parents et plusieurs tantes. Drôlement, l'un et l'autre estiment dès l'enfance qu'ils sont extrêmement laids. Une différence importante les sépare cependant : alors que Jean-Paul est enfant unique, Lev grandit aux côtés de trois frères aînés et d'une sœur cadette. Le petit Lev est, de plus, amoureux de la nature et profondément enraciné dans sa terre, le domaine familial d'Iasnaïa Poliana. Il gardera toute sa vie la nostalgie de cette enfance « si lumineuse, si tendre, si poétique, si pleine d'amour et de mystère [...]. Oui, c'était une époque merveilleuse » (lettre à son biographe Pavel Birioukov, 1903). Le petit Jean-Paul, au contraire, est peu sensible aux charmes de la campagne et écrira plus tard : « Le lecteur aura compris que je déteste mon enfance et tout ce qui en survit. » (*Les mots*).

Mais voici un autre point commun : ces jeunes garçons aiment la lecture et rêvent de faire des choses exceptionnelles dans leur vie future. Leurs rêves sont analogues. Lev : « Je m'imaginais souvent être un grand homme, découvrant pour le bonheur de l'humanité entière de nouvelles vérités, et je regardais les autres mortels avec une conscience orgueilleuse de ma valeur. » (*L'adolescence*.) Jean-Paul : « Le sacré se déposa sur les

Belles-Lettres et l'homme de plume apparut, ersatz du chrétien que je ne pouvais être […]. L'immortalité terrestre s'offrit comme substitut de la vie éternelle. » (*Les mots*). En d'autres termes, les deux garçons aspirent à devenir, grâce à l'immense puissance de leur esprit, de grands hommes. Mais d'abord faut-il qu'ils deviennent des hommes.

Or deux choses, comme l'on sait, peuvent faire d'un garçon un homme : l'amour et la guerre. Ils vont les vivre, ces deux choses, mais dans l'ordre inverse et de façon très différente. En un mot, on pourrait dire que dans les deux domaines, Tolstoï « va au combat », alors que Sartre assiste aux événements en spectateur et en commentateur brillant.

En effet, au sortir de l'adolescence, la vie du jeune comte Tolstoï sera très déréglée. Il abandonnera rapidement ses études universitaires et se ruinera au jeu, se livrant à « la débauche », contractant des maladies vénériennes et beaucoup de dettes, alors que Sartre fera preuve d'une grande sagesse et d'un grand sérieux, glissant tout naturellement du Lycée Louis-le-Grand à l'Ecole Normale Supérieure à cinq cents mètres de là et obtenant toujours les meilleures notes, finissant premier de sa promotion au concours de l'agrégation. Tandis qu'à vingt-trois ans, Sartre commencera dans les cafés du Quartier latin à élaborer sa conception de la *liberté* comme trait fondamental de l'être humain, Tolstoï au même âge se fera incorporer dans l'armée du Danube afin, écrit-il à sa tante, de « n'être plus libre […]. Il y a trop longtemps que je suis libre en tout et il me paraît que cet excès de liberté est la cause principale de mes fautes et même un mal. » (Lettre du 28 janvier 1851.)

Lev publie à vingt-quatre ans un roman auto-biographique intitulé *Enfance*, qui rencontre un vif succès à Moscou ; Jean-Paul a trente et un ans quand paraît son premier roman *La nausée*, qui impressionne fortement l'intelligentsia parisienne. Lev est à l'orée de sa vie littéraire ; Jean-Paul est déjà presque à la fin de la sienne. *La nausée* sera de loin son roman le plus réussi, peut-être le seul destiné à lui survivre.

Tolstoï participe, huit mois durant, à la défense de Sébastopol assiégé par les troupes franco-anglaises ; à plusieurs reprises il frôle la mort ; ensuite, pendant quatre ans (1851-1855), il sera correspondant de guerre. Revenu à la vie civile, il commence à écrire des récits ancrés dans la réalité intense qu'il vient de vivre. Il a trente-quatre ans quand il épouse Sophie, qui en a dix-sept de moins.

Sartre, pour sa part, rencontre la femme de sa vie à vingt-quatre ans (Simone de Beauvoir en a vingt-deux), et ce n'est que dix ans plus tard qu'il se trouve confronté à la guerre. Il est incorporé dans l'armée française en septembre 1939, travaille pendant la Drôle de guerre comme météorologue en raison de sa mauvaise vue, est fait prisonnier, s'évade, et passe le reste de la guerre à jeter les bases de son ouvrage philosophique *L'être et le néant*, ainsi que l'illustration romanesque de celui-ci, la trilogie *Les chemins de la liberté*.

Tout le reste de leur existence, c'est-à-dire pendant une cinquantaine d'années, nos héros seront liés à la même femme, et ces femmes feront tout pour les aider, les soutenir et les encourager dans leur travail titanesque d'écriture. Pas de façon symétrique, cependant : il y a, entre Sophie et Simone, des divergences beaucoup plus profondes qu'entre Lev et Jean-Paul. Sophie est ce que l'on considère à l'époque comme une épouse modèle : elle n'aspire à rien d'autre qu'à l'épanouissement de son génie de mari, elle se soumet à lui en tout ; bien que choquée par ses frasques de jeunesse, qu'il lui confesse peu après leur mariage, elle l'aime passionnément, croit en lui, le vénère, même ; elle porte ses enfants et recopie ses manuscrits. Comme Tolstoï est un homme infatigable, cela veut dire que Sophie aura à s'occuper de beaucoup d'enfants et de beaucoup de manuscrits ; elle sera enceinte pas moins de quinze fois et mettra au monde treize enfants, et elle recopiera *tout* ce qu'il écrit, au fur et à mesure, y compris son immense *Journal* et, pas moins de six fois, les mille cinq cents pages de *Guerre et paix*. Ce n'est certes pas une intellectuelle mais c'est une femme intelligente et raisonnable, une mère dévouée et altruiste. Beauvoir, en revanche, est une personnalité brillante. Elle aussi est convaincue que l'homme qu'elle aime est le génie de son siècle et, si elle ne fait ni la cuisine ni la moindre tâche ménagère, elle est capable de rendre à Sartre de grands services sur le plan intellectuel (traduisant par exemple, dans des cahiers, les romans de Faulkner et de Dos Passos pour qu'il puisse les inclure dans le cours qu'il donne au Havre). Ceci dit, son projet est d'être l'égale de son homme ; plus : « son jumeau », dit-elle. L'enfantement, on ne l'y prendra pas ; l'époque n'est plus la même et Beauvoir pense que les femmes devraient avoir accès à la contraception, à l'avortement, à l'éducation ; elle deviendra la championne mondiale de la liberté et de l'indépendance des femmes. Elle lira le *Journal* de Sophie lors de sa publication en France, et aura à l'égard de l'épouse de Tolstoï une attitude de pitié mêlée de mépris. À ses yeux, Sophie est son exacte opposé, pour ne pas dire son cauchemar : ce à quoi elle a échappé par la force de son intellect.

Mais une autre chose rapproche Tolstoï et Sartre, à savoir une grande ambivalence envers le féminin.

Tolstoï, élevé dans le christianisme de l'Église orthodoxe, vit cette ambivalence sur le mode de la culpabilité. Il désire Sophie (plus, peut-être, qu'il ne l'aime) ; en même temps son désir lui fait honte parce qu'il est convaincu que l'amour physique est une chose basse et bestiale, surtout pour un homme de son intelligence, de sa qualité, de son excellence morale. Malgré lui, année après année, il continue de faire l'amour à Sophie, qui accouche d'un enfant après l'autre. Du reste, Tolstoï vénère les mères ! Simplement il aurait voulu que les femmes puissent être mères sans passer par les hommes, c'est-à-dire par la copulation, l'érotisme, les regards aguicheurs, les hanches remuantes… tout ce à quoi, malgré ses résolutions d'ascèse constamment renouvelées, il ne peut résister. Cela le met hors de lui. Il décrit admirablement ce dilemme dans *Un cas de conscience* : « En lui a toujours existé une double personnalité, dans son cœur ont toujours vécu simultanément deux êtres diamétralement opposés : l'un est passionné, aveugle pour tout ce qui n'est pas son bien-être, un homme heureux de vivre, s'abandonnant corps et âme aux passions qui le possèdent. L'autre, au contraire, très exigeant tant envers lui-même qu'à l'égard des autres, est épris d'une perfection morale à laquelle il aspire avec toute la force de son intelligence. » Le conflit entre ses deux « personnalités » ne fera que s'exacerber avec le passage des années. Mais c'est apparemment ce qu'il faut à Tolstoï pour produire des chefs-d'œuvre, puisqu'il écrit *Guerre et paix* entre trente-cinq et quarante ans, puis *Anna Karénine* entre quarante-cinq et cinquante : deux des plus grands romans de l'histoire de la littérature.

Sartre ne croit pas du tout en Dieu, ou alors juste assez pour l'apostropher de temps en temps, le narguer en lui disant qu'il n'y croit pas ; c'est pourquoi, au lieu

98

d'être déchiré, il est serein. Il vit son ambivalence envers le féminin sur un mode essentiellement intellectuel, philosophique. Ce qui lui plaît, à lui, par-dessus tout, ce sont les mots, les phrases, les idées, les livres, la vie de l'esprit. Dans son système d'idées, le féminin est associé à tout ce qui lui répugne et lui fait peur : l'immanence, la contingence, la nature avec sa prolifération passive et incontrôlée, susceptible d'enliser, d'«engluer» sa pensée belle et immatérielle. Cela ne l'empêche pas de s'entendre avec les femmes, bien au contraire, surtout quand elles sont jeunes et jolies, mais ce qu'il aime c'est les séduire, les éblouir par son éloquence, les former, les aider, les entretenir, être leur initiateur érotique et intellectuel ; il reste maître de la situation, ne laissant jamais sa conscience s'abolir dans l'étreinte charnelle.

Là où Tolstoï est fasciné, bouleversé par le phénomène de la maternité – nombre de ses romans et nouvelles évoquent de façon détaillée la grossesse et l'accouchement difficiles (*Le bonheur conjugal*), la naissance (*Anna Karénine*), l'infanticide (*Puissance des ténèbres*), le rapport aux petits-enfants (*passim*) –, toute cette dimension de la vie est pour Sartre du territoire inconnu. Il ne dépassera jamais, vis-à-vis du phénomène de la naissance, le stade du « Berk ! » qui, dans le reste de la population, atteint son apogée vers douze ans pour s'atténuer par la suite. Il aura, sa vie durant, une vision héroïque et puérile de ce que doit faire un homme : non pas *avoir* mais *trancher* les liens aux autres, et par excellence les liens biologiques, familiaux. C'est toujours une mise à mort qui prouve la « liberté » : Mathieu noie calmement une portée de chatons (*L'âge de raison*), Roquentin songe au suicide (*La nausée*), Oreste tue sa mère (*Les mouches*), et ainsi de suite… Avoir des enfants, aux yeux de Sartre, c'est le summum ou plutôt le nadir de « l'immanence » : heureusement qu'il a choisi de lier son destin à celui de Beauvoir, qui n'en voulait pas non plus !

Un des résultats de cette aversion pour la nature, le féminin et le familial sera que les personnages romanesques de Sartre ne ressemblent que très peu, bien moins que ceux de Tolstoï, à des êtres humains : *La nausée* est certes un livre intéressant, mais son héros est un homme d'une solitude si extrême qu'elle en est absurde, un homme sans lien biologique à aucun autre, dépourvu (comme Sartre lui-même) de frères, de sœurs et d'enfants, dépourvu (ce qui est plus original) de parents aussi, donc sans personne à qui demander « Raconte-moi une histoire »... Dès lors, comment s'étonner de ce qu'il arpente la vie en se demandant quel pourrait bien en être le sens ?

Il faut préciser que Sartre et Beauvoir, tout en rejetant l'enfantement biologique, font sans arrêt des enfants imaginaires. Dès 1935 ils parlent d'Olga Kasaciewicz, une de leurs amantes et protégées, comme de leur « enfant adoptive ». Chaque fois que Beauvoir publie un livre (et elle en publie beaucoup, de son côté), elle l'annonce dans ses lettres à son amant américain comme la « naissance » d'un « enfant ». Tous deux font allusion à leurs amis de la revue *Les Temps modernes*, qu'ils dirigeront de 1945 jusqu'à leur mort, comme à « la famille ». Et ils ont une « vie de famille » infiniment plus harassante que celle d'une mère ou d'un père moyens : rendez-vous, routines, correspondances, confessions programmées, déjeuner avec X, dîner avec Y, dodo avec Z, l'ensemble planifié, réglementé et raconté à l'autre dans ses moindres détails : tout le contraire de « la bohème » qu'on a souvent imaginé être leur mode de vie ! Enfin, sur leurs vieux jours, Sartre et Beauvoir se choisiront chacun une « fille » (par ailleurs nullement dépourvue de parents réels), et l'adopteront pour en faire leur héritière légale.

Mais ne devançons pas l'histoire. Pour le moment, Tolstoï et Sartre écrivent. Ils sont publiés, lus, adulés dans le monde entier, leurs rêves d'enfance sont déjà devenus réalité... et puis ils traversent, l'un comme l'autre, une crise. Une crise spirituelle, existentielle, peu importe comment on l'appelle. Mais grave. En un mot, il leur semble qu'il est immoral d'être romancier lorsque autour d'eux tant de gens souffrent de l'oppression et de la faim. Remettant en cause leur projet de jeunesse, Tolstoï publiera un *Qu'est-ce que l'art ?* (1898), et Sartre un *Qu'est-ce que la littérature ?* (1948). Il est frappant de constater que le contenu de ces livres et les comportements futurs de leurs auteurs forment une jolie croix logique : Sartre tente de définir un rôle à jouer par la littérature mais n'en écrira pour ainsi dire plus, tandis que Tolstoï, qui renie maintenant jusqu'à l'idée même de l'art, ne cessera jamais de s'y adonner.

Chez Tolstoï, la crise se produit assez tard : il a cinquante ans et soudain il trouve que sa vie est une immense erreur. Il est de plus en plus préoccupé et révolté par l'existence de l'injustice sociale. La pauvreté, l'abjection morale et matérielle du peuple russe le scandalisent. Sa propre richesse l'écœure – et non seulement sa richesse matérielle, ses propriétés familiales, ses domestiques, serviteurs et tuteurs, ses nappes de lin brodé, ses verres en cristal, ses couverts en argent, son piano... non, même sa richesse intellectuelle l'écœure. La littérature en tant que telle commence à lui donner la nausée, parce qu'il estime qu'elle est l'apanage des riches, élaborée sur le dos des pauvres. « Cette époque-là, l'année 1881 (expliquera-t-il en 1894), a été pour moi-même une période de refonte intérieure de toute ma vision du monde, et dans cette refonte, l'activité qu'on appelle artistique, et à laquelle je donnais naguère toutes mes forces, non seulement avait perdu pour moi l'importance que je lui attribuais auparavant, mais m'était devenue carrément désagréable par la place indue qu'elle occupait dans ma vie et qu'elle occupe de façon générale dans les conceptions des gens des classes riches. » (Préface aux œuvres de Maupassant.)

Chez Sartre, la crise est moins violente, plus progressive. Il n'a jamais mené un grand train de vie, les possessions matérielles lui sont indifférentes, il vit à l'hôtel et donne tout son argent aux autres. Les choses auraient pu continuer ainsi… Mais, à partir de la Seconde Guerre et du sentiment de culpabilité qu'a induit celle-ci dans le milieu intellectuel français (j'y reviendrai), également sous l'influence du discours marxiste alors dominant dans ce milieu, le pourfendeur de la mauvaise foi est de plus en plus tourmenté par la mauvaise conscience. « À ce moment-là (expliquera-t-il en 1977), des tas de modifications se sont faites chez moi, et en particulier j'ai constaté que j'avais vécu dans une véritable névrose […], la névrose étant au fond que […] je considérais que rien n'était plus beau ni supérieur au fait d'écrire, qu'écrire c'était créer des œuvres qui devaient rester et que la vie d'un écrivain devait se comprendre à partir de son écriture. À ce moment-là, en 53, j'ai compris que c'était une vue absolument bourgeoise, qu'il y avait bien d'autres choses que l'écriture… » (Entretien dans *Sartre*, film de A. Astruc et M. Contat.)

Il faut, ici, ouvrir une parenthèse pour rappeler cette évidence que le roman, à la différence par exemple de la musique ou la peinture, est fait de mots et se prête donc mieux que les autres formes artistiques à un usage didactique ou politique. Dans la Russie du XIXe siècle, le débat entre « l'art pour l'art » et « l'art engagé » fait rage déjà (quoique dans un vocabulaire légèrement différent) et, dès la publication de *Guerre et paix*, Tolstoï disait se sentir coupable devant ses lecteurs « d'avoir défiguré mon livre en y incluant des raisonnements ». Pour autant, ni lui ni Sartre n'ont jamais conçu le roman comme un pur objet de beauté formelle ; depuis leur prime jeunesse ils sont mus par le besoin d'enseigner, préoccupés par la responsabilité de l'artiste face au monde réel (Sartre disait vouloir, dans *La nausée*, réunir Stendhal et Spinoza). Simplement, cette *tension* entre éthique et esthétique, qui caractérise le genre romanesque, leur semble maintenant les acculer à un *choix* radical.

Ils choisissent dans le même sens. Au lieu d'être un grand romancier, Tolstoï ne veut plus être qu'un guide spirituel pour son peuple. Il se convertit à une forme très personnelle de christianisme, visant à suivre strictement les préceptes et le mode de vie du Christ lui-même. Il aspire à être pauvre. Dans une tentative pour partager le sort des petites gens, il se met à chercher lui-même l'eau au puits, à couper du bois, à labourer les champs aux côtés de ses propres paysans, voire, parfois, à se déguiser en moujik.

Comme il ne supporte pas la chlorophylle et n'a jamais été propriétaire de quelque terre que ce soit, Sartre ne peut ni aller couper du bois ni labourer les champs aux côtés des paysans français, mais il fait ce qu'il peut (et son activisme laisse pantois) : il voyage aux quatre coins du monde, participe à des réunions militantes, publie d'innombrables essais et articles, préside à la création d'un quotidien d'extrême gauche, *Libération*, vend *La cause du peuple*, feuille maoïste, à la sortie des usines Renault de Billancourt.

Ils vont très loin, l'un et l'autre, dans leurs efforts pour se délester de leurs privilèges et se mettre au niveau des opprimés, des « damnés de la terre ». Mais Tolstoï, là comme à l'égard du féminin, est déchiré. Parce qu'en même temps, il adore ses privilèges. Il adore manger, chasser, jouer du piano et s'enfermer dans un bureau luxueux pour écrire. Derechef, il passe d'un extrême à l'autre en se fustigeant sans arrêt, prend des résolutions draconiennes pour les transgresser au bout de quelques jours, se morfond de n'être pas à la hauteur de son idéal. Par ailleurs, malgré sa cinquantaine bien avancée, il ne cesse d'aller dans la chambre de sa femme, de lui faire l'amour et des enfants. Sophie s'en plaint un peu, d'ailleurs ; mais pas trop.

Sartre, lui, a cessé depuis belle lurette d'aller dans la chambre de Beauvoir. Beauvoir s'en plaint un peu, d'ailleurs ; mais pas trop. De même, grâce entre autres à la contraception et à l'avortement défendus par sa compagne, Sartre s'abstient facilement de faire des enfants. Et il n'a apparemment aucun mal à se retenir de faire des personnages. Jusqu'en 1960 il continue d'écrire des romans et des pièces de théâtre, tous consacrés au thème de la « responsabilité », des choix de l'individu face à l'Histoire ; ensuite, même cela disparaît et il s'éloigne définitivement de la fiction. Les vingt dernières années de sa vie seront consacrées aux essais littéraires et philosophiques, aux articles, aux pamphlets politiques. Il s'y montrera passionné et généreux, soucieux de mettre son autorité morale au service de ce qu'il juge être la meilleure cause possible. Même dans ses pages les plus abstraites, son don artistique affleure souvent sous forme d'exemples concrets qui sont autant de vignettes romanesques, mais plus jamais il ne se « laissera aller » à l'invention de consciences différentes de la sienne... Beauvoir, loin de se désoler de voir son artiste libre se muer en penseur et prédicateur, le suivra dans cette voie (et même, d'après certains, le dépassera).

Sophie Tolstoï, tout au contraire, avec une justesse d'analyse qui pourrait surprendre chez une femme si peu instruite, est affligée de voir son mari délaisser – non, trahir – sa véritable vocation, la littérature, pour rédiger des discours moralisateurs. Elle a horreur de ces textes-là. Elle ne prend, à les recopier, aucun plaisir ; cela l'assomme. Refusant de suivre son homme dans ses lubies successives, elle déplore ses incursions dans d'autres formes d'écriture que la nouvelle et le roman : sermons, conférences, pamphlets... Elle le lui dit dans une lettre, le 27 octobre 1884 : « Ton goût pour la musique, tes impressions de la nature, ton désir d'écrire, tout cela c'est toi, le vrai, celui que tu veux tuer, mais qui demeure, malgré tout, merveilleux, poétique et si bon, celui que tous ceux qui te connaissent aiment en toi ! Et tu ne le tueras pas, malgré tous tes efforts. »

Et elle a raison : malgré tous ses efforts, il ne le tuera pas. De même qu'il ne peut s'empêcher de faire l'amour et des bébés, Tolstoï, en dépit des efforts surhumains qu'il déploie pour se dominer, ne peut s'empêcher d'écrire de la fiction. De donner naissance, là aussi, à des êtres *autres*. C'est plus fort que lui. Installé à sa table de travail, après ou avant ou même pendant qu'il griffonne ses tirades politiques et religieuses, des personnages surgissent dans son esprit et se mettent à y vivre, à y parler, à y gesticuler. Il fait de son mieux pour les contrôler, les transformer en porte-parole de ses idées ; mais non, ça ne marche pas. Ça lui échappe. C'est libre, c'est indépendant, c'est vraiment quelqu'un *d'autre* que vous ! Ça vit, ça va contre votre volonté, c'est terrifiant, c'est incontrôlable comme les racines du marronnier de Roquentin, ça fait des ŒUVRES D'ART. Épouvante !

Il écrit par exemple, à près de soixante ans en 1886, *La mort d'Ivan Illitch*, sublime nouvelle dans laquelle un homme mourant se rend compte du vide terrifiant de son existence. Oui : car, dans la vie d'un père, le temps passe, c'est fatal, c'est forcé, il n'y a pas moyen de le nier, et dans les romans le temps passe aussi, c'est une des lois du genre, même si *La nausée* a fait de son mieux pour tordre le cou à cette loi.

Un homme qui n'a pas d'enfants, et qui s'imagine n'être que le fils de ses œuvres, peut se raconter pendant un bon moment que le temps ne passe pas. Comme l'a fait remarquer un psychanalyste français, si le *Scénario Freud* qu'a entrepris d'écrire Sartre n'a pas abouti, c'est peut-être parce qu'il s'est aperçu « qu'à vouloir se passer de père, on risque fort de n'être, sa vie durant, qu'un enfant de mots. » (J.-P. Pontalis, préface au *Scénario Freud*.) C'est ce que dira en effet, l'autobiographie de Sartre, dans laquelle il évoque son enfance de zéro à dix ans, et qui s'intitule précisément *Les mots*. La première partie s'appelle « Lire », et la deuxième, « Écrire ». Sartre nous démontre dans ce livre non seulement qu'il n'a pas eu de père, mais que sa mère a été sa sœur voire sa copine, et que son grand-père n'était qu'une immense bibliothèque ; ainsi n'a-t-il rien hérité de personne et ne doit-il rien à personne ; il s'est fabriqué tout seul à coups de mots ingurgités et recrachés. « Il n'y a pas de bon père, c'est la règle, affirme-t-il dans ce livre (on se demande sur quelle expérience il se base pour l'affirmer !) ; qu'on n'en tienne pas grief aux hommes mais au lien de paternité qui est pourri... » Publié en 1964, ce livre aurait été écrit une dizaine d'années plus tôt, soit pendant la période la plus frénétiquement militante de Sartre ; œuvre profonde et belle, peut-être son vrai chef-d'œuvre littéraire, on peut le voir comme un antidote secret et personnel contre les discours par trop schématiques qu'il se sentait alors obligé de tenir en public. Mais, comme le dit aussi Pontalis, « l'avantage et le malheur des mots, c'est qu'ils ne se lient qu'entre eux. Celui qui se refuse à recevoir et à transmettre redoutera toujours d'être un truqueur, un être verbal, un faiseur de gestes. » Ayant redouté précisément cela pendant sa crise, Sartre fait maintenant son autocritique définitive. Il s'excuse, face à « la famille » des *Temps modernes* qui sont un peu son surmoi politique, d'avoir valorisé la beauté artistique. Encore des années plus tard (en 1977), Jacques-Laurent Bost l'attaquera là-dessus : « Quand vous avez écrit *Les mots*, vous avez quand même, comment dirais-je, essayé de l'écrire dans la plus belle prose possible, pour que ça soit un – j'ai horreur de ce mot – un objet d'art, enfin disons un livre qui ait un pouvoir », et Sartre d'expliquer, penaud, qu'il avait voulu que son adieu à la littérature soit « littéraire » de façon aussi parfaite et aussi aboutie que possible. Maintenant, promet-il, c'est terminé. Il a vu la lumière et ne péchera plus, ne se compromettra plus avec la bourgeoisie.

L'abîme grandit entre Tolstoï et ses enfants, entre Tolstoï et ses personnages. Sophie n'est pas dupe ; elle ne peut pas l'être, car elle est témoin de toutes les facettes de la vie de Tolstoï comme l'est Beauvoir de celle de Sartre. Elle note dans son journal, le 25 juillet 1897 : « J'ai recopié aujourd'hui l'essai de Lev Niko-laïevitch sur l'art. Il s'y réfère avec indignation à la part trop grande accordée à l'amour (« la manie érotique ») dans toutes les œuvres d'art. Or, ce matin, Sacha m'a dit : "Comme papa est gai aujourd'hui ! Et à cause de lui, nous aussi nous sommes tous gais !" Si elle savait que papa est toujours gai à cause de ce même amour qu'il veut nier ! »

Mais, à force de passer, le temps est en train de transformer en femmes les propres filles de Tolstoï. Elles s'éloignent de lui, tombent amoureuses, rêvent de se marier. Cela lui est insupportable. À Sacha, sa cadette, sa préférée, il interdit tout bonnement le mariage car il désire faire d'elle son héritière spirituelle. Il redouble d'attaques contre l'amour physique et se met à prôner la chasteté totale. Il écrit *La sonate à Kreutzer,* une longue nouvelle dont le héros, Pozdnychev, couvre de boue les beaux sentiments d'amour que Tolstoï lui-même avait décrits de façon si émouvante dans *Guerre et paix.* Pozdnychev nous raconte sa vie auprès d'une épouse qu'il exècre… mais aussi comment l'intérêt de cette épouse pour un autre l'a rendu fou de jalousie, au point qu'il a fini par l'assassiner. Pendant toute la première partie de la nouvelle, le héros est sous le joug de son créateur et ne fait que réciter ses idées : la seule manière, dit-il, de venir à bout des obscénités et humiliations du désir érotique, c'est de s'abstenir de toute activité sexuelle. « Vous m'objecterez que ce sera la fin de la race humaine ? écrit Tolstoï dans une lettre à un ami pendant l'élaboration de *La sonate à Kreutzer.* Le beau malheur ! Les animaux antédiluviens ont bien disparu de la terre, les animaux humains disparaîtront aussi… J'ai aussi peu de pitié pour ces animaux à deux pattes que pour des ichtyosaures. » Peu à peu, cependant, Pozdnychev échappe à son auteur, fait taire ses pénibles palabres sur les femmes et se met à parler d'une voix différente, personnelle et bouleversante. Le discours s'évanouit, cédant la place à des scènes d'un réalisme stupéfiant, pour s'achever dans un véritable cri du cœur.

Même après avoir écrit *La sonate à Kreutzer,* Tolstoï retourne dans la chambre de Sophie. Dès qu'il en ressort, il se précipite sur son journal : « Et si un nouveau bébé naissait ? Combien j'aurais honte, devant mes enfants, surtout ! Ils confronteront la date (de la conception) avec celle de la rédaction (de *La sonate à Kreutzer*) ! » Tolstoï a à ce moment soixante et un ans, et Sophie, quarante-quatre. Il est permis de se demander en passant pourquoi Beauvoir, dans son opus féministe *Le deuxième sexe* (en deux tomes : « des jumeaux », annonce-t-elle à l'amant américain), a prétendu que Sophie avait horreur de l'amour physique. Mère de treize enfants, elle devait être capable de repousser son mari trop fougueux ; or elle ne le fait pas. « La froideur, la sévérité ont fondu, écrit-elle dans son journal à elle, et tout s'est terminé par la même chose, comme toujours ! » « Il est de nouveau charmant, joyeux et tendre [...] Si ceux qui lisaient et lisent *La sonate à Kreutzer* pouvaient glisser un coup d'œil sur la vie amoureuse de Liovotchka, s'ils pouvaient voir ce qui le rend gai et bon, ils jetteraient leur divinité à bas du piédestal sur lequel ils l'ont placé. » On peut supposer que ce n'était pas une épouse dégoûtée, rigide et frigide qui était susceptible de rendre Tolstoï si « gai et bon » ! Beauvoir aurait-elle été... un tantinet... jalouse ? En 1952, arrivée au milieu de la quarantaine à son tour, elle écrit à son ex-amant américain : « Ma vie amoureuse a pris fin quand elle devait décemment prendre fin. Car je hais l'idée des femmes âgées, au corps âgé, qui s'accrochent à l'amour ! »

Tolstoï et Sartre ont un autre point commun : ils maltraitent et surmènent leur propre corps, le tiennent pour une quantité négligeable. Ce sont des travailleurs forcenés qui écrivent jour et nuit ; de plus, Tolstoï porte des poids dangereux pour son âge, s'astreint à des diètes terribles suivies de crises de boulimie ; Sartre abuse de cigarettes, d'alcool et d'amphétamines ; ni l'un ni l'autre n'écoutent les conseils de leurs amis sur la nécessité de ménager, de respecter, de mieux traiter la carcasse qui porte leur âme hors-pair. Alors, de façon prévisible, l'un et l'autre tombent malades. Très malades. Tolstoï, en 1899 (donc à l'âge de soixante et onze ans) est près de la mort ; ce sont les soins inlassables et dévoués de Sophie qui finiront par le remettre sur pied. Sartre, à partir de 1960 environ, est de plus en diminué physiquement. Il commence à perdre la vue et souffre de maints autres problèmes de santé.

Or quand un grand homme tombe malade, cela lui fait naturellement songer à sa mortalité – et, tout aussi naturellement, à sa postérité. Tolstoï, malgré les protestations véhémentes de Sophie, se laissera convaincre par son disciple Vladimir Tchertkov, avec la complicité de Sacha sa fille cadette, de refaire son testament de façon à léguer au peuple russe plutôt qu'à sa famille *tous* ses droits d'auteur, et pas seulement ceux d'après sa conversion de 1881, comme le stipulait la première version du testament.

Beauvoir connaissait bien l'histoire de l'embobinement de Tolstoï par Tchertkov ; elle l'a racontée avec force détails dans son livre consacré à *La vieillesse* (1973). Pourtant, vers la fin de sa vie, Sartre va rencontrer lui aussi « son » Tchertkov : un militant politique du nom de Victor Louis (Benny Lévy). Malgré les protestations véhémentes de Beauvoir, il se laissera convaincre par ce disciple, avec la complicité de sa fille adoptive Arlette Elkaïm, de publier des livres et entretiens dans lesquels toute son œuvre philosophique antérieure sera reniée.

Ni Sophie ni Simone ne seront présentes au côté de leur homme au moment de sa mort. Sophie sera physiquement empêchée, par Tchertkov et Sacha, d'assister à l'agonie de Tolstoï dans la gare d'Astapovo ; quant à Beauvoir, elle veillera Sartre à tour de rôle avec Elkaïm, mais celle-ci s'abstiendra de la prévenir quand il entre dans le coma. C'est elle, la fille adoptive, qui héritera de toutes les affaires personnelles de Sartre, y compris de ses manuscrits, et elle refusera de donner à Beauvoir la moindre page en souvenir de leurs cinquante ans de vie commune. En d'autres termes, ni Sophie ni Simone n'auront de droit sur l'œuvre de leur homme, qu'elles ont tant contribué à faire éclore. Après cinquante ans de bons et loyaux services, elles seront flouées, spoliées, tenues à l'écart.

La moralité de la petite histoire est double : d'une part, elle nous prouve que les liens librement « choisis » peuvent être tout aussi imprévisibles et brutaux que les liens « imposés » par la famille. Mais, d'autre part, elle suggère qu'élever des enfants et inventer des personnages – sans être bien entendu la même chose – participent d'une même perception du temps et de l'intersubjectivité, d'une même acceptation du vivant, du proliférant, de l'incontrôlable – d'une même passivité, pourrait-on dire. Je ne prétends pas (ce serait absurde, puisque les contre-exemples pullulent) qu'il faille être parent pour écrire de bons romans. En revanche, il me semble que le dégoût affiché, assumé, théorisé, pour la nature, le temps qui passe, la transmission, les cycles de la naissance et de la mort... tend à stériliser l'imagination.

Il n'y a pas que la petite histoire, il y a aussi la grande.

En effet, que Tolstoï et Sartre aient été tous deux tentés par le didactisme, mais que seul Sartre s'y soit laissé réduire, l'explication relève non seulement de leur *tempérament* mais aussi de leur *temporalité* respective.

Même si leurs séjours sur Terre se sont légèrement chevauchés (Sartre naît en 1905 et Tolstoï ne meurt qu'en 1910), le monde qu'ils avaient à cœur de comprendre et d'améliorer n'était pas le même.

C'est le fameux « tournant » auquel j'ai fait allusion avant de commencer mon histoire, sujet si vaste qu'il ne m'est loisible, ici, que d'en esquisser les contours : du XIXᵉ au XXᵉ siècle, suite à deux traumatismes majeurs – la mort de Dieu ; le massacre de toute une génération de jeunes hommes dans la Première Guerre mondiale – les valeurs traditionnelles de l'Occident (famille, patrie, Église) ont vacillé ; les certitudes se sont effondrées.

Coupure brutale des liens générationnels.

Pertes des pères, et des repères.

Du passé faisons table rase...

Surgit une littérature nouvelle. Joyce... Kafka... Beckett... Sarraute... Musil... Des auteurs dont le souci n'est plus *d'observer et de décrire* la vie des hommes, mais d'y *réfléchir*. Des auteurs dont les livres proposent d'arpenter – de façon minutieuse, allégorique, scintillante – non plus le monde extérieur mais le monde intérieur.

La Seconde Guerre n'a fait qu'exacerber cette tendance. Dans la mesure, peut-être, où l'Église, la monarchie, toutes les formes historiques de l'oppression s'étaient présentées sous les oripeaux de « belles histoires », on se méfie de plus en plus du récit et de la représentation (méfiance théorisée par Sarraute en 1956 dans *L'ère du soupçon*). Il ne faut plus, en somme, « se laisser conter ». « Nous avons une tâche, écrit Sartre dans *Qu'est-ce que la littérature ?*, c'est de créer une littérature qui rejoigne et réconcilie l'absolu métaphysique et la relativité du fait historique. »

Le problème, c'est que l'art ne surgit pas des « il faut », des « nous avons une tâche ». Comme l'a écrit Romain Gary dans *Pour Sganarelle*, un roman ne doit être ni de « l'art pour l'art » ni « engagé » ; il doit être *bon*, et pour être bon il doit faire exister un monde qui, le temps de la lecture, emporte totalement le lecteur, et son adhésion avec. Pour l'enseignement, il existe d'autres genres. « Il y a une certaine graine de stupidité, explique à la même époque Flannery O'Connor, dont l'écrivain de fiction ne peut guère se passer : c'est cette qualité qui consiste à fixer bêtement les choses, à ne pas les comprendre tout de suite. Plus on fixe un seul objet du regard, plus on arrive à y voir le monde entier, et on ferait bien de se rappeler que l'écrivain de fiction s'occupe toujours du monde entier, quelque limitée puisse être sa scène particulière. »

Peu à peu, en Europe et singulièrement en France, l'intelligence des Écrivains a remplacé et aboli la si précieuse « stupidité » des Romanciers. Les histoires, ont estimé les Écrivains, c'était bon pour les enfants. Or il ne fallait surtout pas être des enfants. Il fallait, au contraire, oublier l'enfance et se revendiquer comme adulte, rationnel et responsable.

Sartre a de très nombreux émules, encore aujourd'hui : des hommes et des femmes instruits, éloquents, passionnément soucieux du bien commun, et par ailleurs convaincus qu'il est possible de concilier une vocation littéraire avec une carrière d'enseignant, de journaliste, d'essayiste, de grand reporter, de chroniqueur, de militant politique... mais surtout pas avec une vie de famille ! Il est fréquent que ces émules suivent, consciemment ou non, la courbe de l'itinéraire sartrien ; commençant par des romans, puis passant au théâtre, à des essais, se retrouvant de plus en plus asservis à l'intelligence et finissant par ne plus faire que réfléchir, discourir, asséner leurs vérités aux autres, même dans les livres qui portent l'estampille « roman ».

Il est frappant que dans les parties du monde n'ayant pas subi les mêmes traumatismes que l'Europe (les Amériques, l'Inde, les Antilles…), le roman continue, avec une infinie variété de formes, à très bien se porter. Faulkner n'a jamais craché sur le récit ; Coetzee non plus ; ni Gabriel García Márquez ; ni Toni Morrison ; ni Arundhati Roy, Jim Harrison, Michael Ondaatje… Tous ces écrivains ont continué de faire confiance aux personnages et aux intrigues (et, même en France, on s'en réjouit !).

La vérité (que reconnaît spontanément le commun des mortels mais qu'oublient souvent les Intellectuels), c'est qu'il y a dans l'espèce humaine une *tension* entre solitude et solidarité, entre l'individu et les différents groupes dont il fait partie, et que *cette tension est géné- ratrice d'histoires* : sans liens sociaux, sans extensions de l'individu dans le temps et dans l'espace, sans rapports familiaux en amont et en aval, il n'y a pas de récit possible. En raison de sa nombreuse progéniture, mais aussi parce qu'il fréquentait et étudiait toutes les couches de la société (paysans et nobles, bagnards et prostituées, soldats et enfants), Tolstoï a pâti de cette tension chaque jour de sa vie – et c'est ce qui a fait de lui, si souvent malgré lui (et malgré ses velléités de répudier le roman), un géant de la littérature. Dans la mesure où il se laissait déborder par ses personnages, il était génial ; inverse- ment, chaque fois qu'il les contrôlait, les manipulait pour leur faire ânonner ses propres convictions (comme dans *Résurrection,* par exemple), il perdait de sa puissance. Tout à fait à la fin de sa vie, il a réussi cette prouesse consistant à se voir lui-même de l'extérieur, comme un autre, un homme hautain et orgueilleux, dont l'aspiration à la pureté avait quelque chose d'inhumain – et à en faire un personnage : *Le père Serge.*

Sartre, qui fréquentait presque exclusivement des intellectuels, a pu entretenir toute sa vie l'illusion que la volonté et la liberté étaient primordiales. Un passage de *Qu'est-ce que la littérature ?* montre bien cette illusion à l'œuvre : « L'écrivain est médiateur par excellence et son engagement c'est la médiation, écrit-il. Il est Juif peut-être, et Tchèque et de famille paysanne, mais c'est un *écrivain* juif, un *écrivain* tchèque et de souche rurale. » En d'autres termes, entre une qualité donnée à la naissance (souche rurale) et une qualité librement choisie (écrivain), c'est cette dernière qui est plus importante et plus précieuse, parce qu'elle implique l'intervention de la volonté. Cela est incontestablement vrai dans une perspective politique et juridique : on ne doit pas me punir pour ce dont je ne suis pas responsable, ce qui ne relève pas de mon libre arbitre. Mais il se trouve que l'imagination, l'écriture, l'art obéissent à une tout autre logique, et c'est cette dualité-là que Sartre n'a jamais pu admettre. Le *citoyen* ne doit ni tirer avantage de ses origines religieuses, sociales, de son identité sexuelle, ni en subir des conséquences néfastes ; il vise à n'être que volonté et raison et conscience. Mais si *l'écrivain* se coupe de son enfance, de ses racines, de sa mémoire physique, onirique, ancestrale, il se prive de tous ses moyens artistiques. Car c'est précisément ce qui, chez lui, est « contingent » – sa faiblesse, son « immanence » – qui constituera, dans ses livres, sa force. « Ce qui t'empêche d'écrire, disait Marina Tsvetaeva, c'est là le véritable sujet de ton écriture. »

On l'aura compris, il ne s'agit nullement, pour moi, de « chanter les louanges de la famille », mais plutôt de s'intéresser, en renouant les liens avec le récit, à la réalité des individus. Mais qui dit *réalité* dit *relations* (familiales entre autres), car ce sont elles qui nous forment et nous déforment, nous lient et nous délient. Cela voudrait dire, au lieu de s'obstiner à simplifier par l'analyse et la ratiocination : admettre la difficulté, le défi passionnant que représente l'omniprésence des autres en soi, et en dehors de soi.

2000

c.

La Nouvelle Lettre internationale, n° 4, automne 2000.

ROMAIN GARY :
QUESTIONNAIRE AU JUGEMENT DERNIER

Identité

Toujours détesté cette question. Jamais su qui j'étais. Personne ne le sait, mais moi c'est depuis le départ que je sais que je le sais pas. Aucune couette d'identité duveteuse dans laquelle m'enfouir la tête. J'arrêtais pas de voir. Toute ma vie, les yeux écarquillés d'horreur/ devant l'horreur.

Nom

> J'étais bâtard.
>
> Un corps sans nom.
>
> Innommable.

Parents

> Mère, actrice de deuxième ordre à Moscou. Professionnelle du faire-semblant. Elle a épousé un type nommé Kacew avant ma naissance, je m'appelais donc Kacew ; a divorcé après. Faisons comme si… pourquoi, pour qui ?
>
> *Man's but a poor player…*
>
> Donc, maman une pauvre comédienne… papa, d'après moi, non pas Kacew la nullité mais… peut-être Ivan Mosjoukine, le plus grand acteur russe vivant ?…

un *riche* comédien ? C'était peut-être lui qui sporadiquement, au long des années, venait à la rescousse de Nina en lui envoyant des mandats quand notre misère était à sa plus crasse ?

Enfance

Né en 14, alors que voulez-vous : Grande Guerre, Révolution russe, fuite, exil, etc., etc.

Mes premiers souvenirs datent des années qu'on a passées à Wilno et à Varsovie : on était pauvres.

On était pires que pauvres.

On était juifs.

Je vous interdis de me prendre en pitié.

Ma mère confectionnait des chapeaux et des robes pour les dames aisées de Wilno, tout en fantasmant à voix haute sur mon glorieux avenir d'ambassadeur de France. Elle déployait tout son talent théâtral à me créer une patrie imaginaire et me la rendre réelle : LA FRANCE ! LA FRANCE ! Tu seras un écrivain, grand et célèbre, tu verras ! Tu seras Victor Hugo ! Lamartine ! Jean-Jacques Rousseau !

L'amour maternel.

Frères et sœurs

Enfant unique. Mais l'océan me fut un frère dès l'instant où, arrivant à Nice, je posai les yeux pour la première fois sur la Méditerranée. « Frère océan », je l'appelais. Jamais « la mer », ce qui m'aurait ramené tout droit à « la mère ». (Bien plus tard, en Californie : le Pacifique. Également, comme frères et sœurs, les séquoias et les redwoods. Sans parler d'un grand nombre de chiens et de chats. Même des pierres, parfois.)

Découverte de la vocation

Peu de temps après notre installation à Nice, je me rendis compte que ma mère vieillissait et souffrait du diabète. Les lois de la nature me furent révélées dans toute leur atroce splendeur :

1) L'homme naît.

2) Il *struts and frets his hour upon the stage.*

3) Il devient impuissant.

4) Il est dépiauté vivant, tel un bébé phoque, par le Temps.

5) Il meurt, *and then is heard no more.*

C'est de la merde : rayez-moi tout ça.

Il fallait absolument que j'arrive à dédommager ma mère, à lui montrer que tous ses efforts n'avaient pas été en vain. À me faire un nom. Mais quel nom ? André Malraux... Chateaubriand... Victor Hugo... Des noms formidables. Dommage qu'ils étaient déjà pris.

What's in a name ? Rien. Tout.

Service militaire

La guerre est une abomination.

Mais je dois avouer que la Seconde Guerre mondiale a fait de moi un homme.

Ma seule famille véritable : les rares soldats survivants avec qui j'ai bombardé l'Europe occupée par les Allemands pendant les dernières années de la guerre.

J'ai écrit mon premier roman dans le même temps, en Afrique puis en Angleterre. Je recevais constamment des lettres de ma mère – tiens bon, Romain, résiste, sois fort, nous finirons par vaincre. Le roman a été publié en Angleterre dès la Libération de la France. Je me suis précipité à Nice, avide de déposer mes lauriers à ses pieds. Héros de guerre décoré par de Gaulle lui-même, Compagnon de la Libération, auteur d'un premier roman très remarqué – tout ça à la fois. En arrivant à Nice, j'ai appris qu'elle était morte depuis deux ans. Elle avait confié à une amie, pour me les envoyer au fur et à mesure, les dizaines de lettres qu'elle avait écrites à l'avance. Toujours le même message – tiens bon – sois fort – on y est presque… C'est ainsi que j'aime à raconter cette histoire.

Idéologie

Les certitudes, convictions, appartenances et adhérences, les joyeuses grégarités de toutes sortes : pures foutaises.

Même l'athéisme, même l'anticommunisme m'étaient répugnants.

Citoyenneté

J'étais citoyen, non de la France de l'après-guerre, mais du mythe de la France du XIXe siècle que ma mère avait emprunté à une aristocratie russe romantique et frustrée, puis soufflé dans mes oreilles crédules, nuit après nuit, tandis que nous mourions de froid et de faim à Varsovie.

Religion

Mère juive, comme je l'ai dit. Mais elle entrait souvent dans des églises catholiques ou orthodoxes pour chercher la consolation de leurs prêtres et de leurs popes. Moi-même j'ai été baptisé catholique, et Jésus est un des êtres que j'aime le plus au monde.

Lui et Victor Hugo. Tous deux étaient du côté des faibles, des misérables (du côté de ma mère).

N'empêche que j'étais juif.

Suffisamment juif pour tout le monde à l'exception des Israéliens, qui ont refusé de m'inclure dans leur *Who's Who in World Jewry*.

Apparence physique

Yeux bleu ciel, peau couleur gitane, pommettes cosaques.

J'ai grandi et grandi, puis j'ai cessé de grandir.

Après la guerre, j'ai troqué mon uniforme d'aviateur contre le costume trois-pièces d'un diplomate. Le temps passant, mes habits sont devenus de plus en plus excentriques : ponchos, chapeaux, chemises bariolées. On avait tendance à me trouver ridicule.

Je fumais le cigare avec panache et passion. Des Havane. Des Davidoff. Des Monte-Carlo.

Dans un premier temps j'ai été grand, brun, beau. Ensuite j'ai été baraqué, grisonnant, ridé. Comme un éléphant.

Animaux préférés

Les éléphants. J'en ai tué un, une fois, pour rigoler. C'était en 1940, je m'appelais Romain Gary-Kacew et je m'ennuyais à mort comme pilote en Afrique centrale, fou d'inaction. Un jour, alors qu'on faisait des acrobaties dans le ciel avec un copain, on a vu un éléphant en bas et on a décidé de le percuter. La bête est morte sur le coup. Mon copain aussi. Moi, j'ai quitté les débris sans égratignure.

Dix ans plus tard, j'ai écrit un roman gros et maladroit comme un éléphant, *Les racines du ciel*. C'est l'histoire d'un mec qui essaie d'empêcher que les éléphants africains soient massacrés, par les Blancs pour l'ivoire et par les Noirs pour de la viande. Le livre m'a valu le prix Goncourt.

En témoignage de leur admiration, de nombreux lecteurs m'ont envoyé de jolies statuettes d'éléphants... en ivoire.

Relations d'objet

Jamais su quoi faire des objets. À seize ans j'ai fait l'amour à un radiateur. À trente-cinq ans j'ai bouffé mes propres peintures à l'huile. À soixante-quatre ans je me suis jeté dans une poubelle.

À quoi servent les objets ?

Les seuls dont je me sois vraiment régalé :

1) les grands concombres russes salés

2) les bons cigares

Freud peut aller se faire foutre.

Profession

En fait ma mère m'avait donné Roman comme prénom (ça a changé plus tard ça aussi), donc je n'avais guère le choix. J'ai publié une trentaine de romans en trente-six ans. Hormis mon pseudonyme initial de Gary (qui signifie « brûle ! » en russe), j'ai écrit six romans sous trois autres pseudonymes. J'ai également écrit six romans directement en anglais, ma quatrième langue après le russe, le polonais et le français. Sans parler de plusieurs centaines d'articles pour des journaux américains, une vingtaine de scénarios à Hollywood... Je ne me vante pas. Il n'y a jamais de quoi se vanter.

Politique

La première fois que Charles de Gaulle m'a vu, au fin fond de l'Afrique, j'étais habillé en femme et je dansais le french cancan dans un sketch que j'avais mis au point pour mon unité d'aviateurs. Le général est resté de bois tout au long du spectacle.

Mais je savais qu'il incarnait, au même titre que Jeanne d'Arc, la France glorieuse et invincible de ma mère.

Ainsi suis-je resté, jusqu'à la fin, gaulliste indéfectible.

J'ai représenté la France aux Nations Unies à New York pendant trois ans. Cela a suffi pour me guérir à tout jamais de l'espoir politique.

Mon credo était simple : je m'identifiais à tout ce qui souffrait.

Sauf les poulets. J'avais du mal à m'imaginer en poulet.

Appétits

J'avalais régulièrement un poulet entier au cours d'un repas.

Ou un demi-gigot. Plus un kilo d'asperges. Suivi de sept yaourts : gloup, gloup, gloup.

C'était la quantité qui importait, bien plus que la qualité.

La même chose était vraie de mon écriture.

Une boulimie d'ogre, une terreur d'être en manque.

Je dévorais aussi les êtres qui m'étaient proches, engloutissant leur vie et la transformant sans scrupules en littérature – que, mes mauvais jours, j'appelais de la merde. « Méfie-toi, Paul, aurait dit mon ex-femme Jean Seberg à mon neveu Paul Pavlowitch. Romain est un cannibale, ne t'approche pas trop. »

Oui, je prenais. Mais je donnais aussi : livre après livre, des milliers de pages offertes au monde – tenez, écoutez, rêvez, riez, pleurez, réfléchissez – laissez-moi vous donner encore plus ! – lançant mes mots en l'air comme des bonbons gratuits, pour que les gens soient heureux. (Mes bons jours, la littérature – comme le cirque, le cinéma, toutes les formes d'illusion et d'enchantement – était ma valeur la plus haute. Mais jamais je n'ai réussi à croire qu'elle rachetait la souffrance.)

Sexe

Masculin.

S'il est vrai que j'arborais tous les signes extérieurs du macho, mes vraies valeurs (fais ce que je dis, pas ce que je fais) étaient du côté du féminin. La vulnérabilité, la gentillesse, la miséricorde, la générosité. Le monde est en train de crever de pseudo-virilité. Les jeux de pouvoir politique, la guerre moderne, les armes nucléaires, la compétition capitaliste : tout ça, c'est des godemichés pour mecs qui doutent de leur virilité.

Quant à moi, j'avais *the real thing*.

Puis je l'ai perdue (voir Loi de la nature n° 3).

Sujets littéraires

Les cerfs-volants. L'impuissance sexuelle chez les hommes vieillissants. Le massacre des éléphants. Un garçon arabe à Belleville. Un comique juif mort, qui taquine et tourmente un ex-Nazi, des décennies après l'Holocauste. Les Black Panthers. Les Résistants polonais. Les *ski bums*...

Titres de gloire

J'aimais à égrener, tel un chapelet, la série de beaux bijoux que la vie m'avait donnés : Compagnon de la Libération, Commandeur de la Légion d'Honneur, Prix Goncourt, Premier Consul de France, etc.

« Tel un chapelet » : comme s'il s'agissait de syllabes apprises par cœur et dépourvues de sens. Mais en fait tout cela comptait énormément.

Pourquoi seulement consul, pourquoi pas ambassadeur ? Pourquoi seulement Goncourt, pourquoi pas Nobel ? Pourquoi seulement une personne, pourquoi pas cent ?

État civil

Marié deux fois : d'abord à une écrivaine célèbre, britannique, ensuite à une actrice célèbre, américaine. Les deux mariages se sont soldés par le divorce.

Rien de comique à dire là-dessus.

Aventures extra-maritales

J'ai fait l'amour avec des femmes de tous les âges, de toutes les couleurs, de toutes les nationalités. Séduire, comme écrire, était pour moi une compulsion maladive. Mais jamais je n'ai mélangé les deux : la littérature érotique est à mes yeux une contradiction dans les termes. Mes livres parlent librement de seins et de pénis, d'impuissance et de frigidité, des mille espèces de paradis et d'enfer où le sexe peut nous mener ; jamais ils ne tentent de reproduire l'effet que le sexe a sur nous.

Femmes importantes dans ma vie : Nina, Illona, Leslie, Jean, Leïla.

Femmes importantes dans mon œuvre : Zosia, Lily, Lila, Minna, Lola, Laura, Adriana, Aline, Alyette.

Tirez vos propres conclusions.

L'Argent

J'en ai beaucoup fait et beaucoup donné ; j'ai toujours eu peur d'en manquer.

L'Amour

J'en ai beaucoup fait et beaucoup donné ; j'ai toujours eu peur d'en manquer.

J'aimais mon chien Sandy.

La seule femme que j'aie réellement aimée, selon ma version des faits, c'est Illona. Mais la guerre nous a séparés et, quand elle m'a écrit vingt ans plus tard, après avoir lu mon autobiographie dans laquelle j'évoquais notre amour avec une révérence tremblante, ce fut pour me dire qu'elle avait pris les vœux et vivait recluse dans un couvent. J'ai fait des recherches : en fait le couvent était un asile psychiatrique et Illona était psychotique. Ou schizophrène. Quelque chose.

J'aime rêver de la vie qu'on aurait pu avoir ensemble.

Lieu de résidence

La Terre. J'ai vécu de longues années à l'extérieur de la France – en Bulgarie, en Bolivie, en Suisse, aux USA – mais, quel que fût l'endroit où j'habitais, je foutais régulièrement le camp au loin, presque toujours seul. L'Indonésie, le Mexique, le Cambodge, l'Inde, l'Afrique, le Japon… J'avais la bougeotte, quoi.

Hygiène personnelle

Dormais neuf heures par nuit, de 21 h à 6 h. Écrivais sept heures par jour, quelles que fussent mes autres obligations professionnelles. Mangeais comme un cheval et baisais comme un âne. Faisais de la gymnastique dans un état de rage, pour brûler les calories. (Par ailleurs j'étais passablement doué comme jongleur.) Ne touchais jamais à l'alcool ni à la drogue parce qu'ils m'auraient transformé en quelqu'un d'autre et m'auraient libéré, l'espace d'un instant, de l'emprise mortelle de mon moi. Telle une femme battue qui n'arrive pas à quitter son mari, je me cramponnais obstinément à ma petite personnalité méprisable.

Défauts

J'adorais médire de moi-même, souligner mes travers en éclatant d'un gros rire bruyant : comme ça personne d'autre ne pouvait me dire, surtout avec sérieux, ce qui n'allait pas chez moi ; je les avais devancés.

Mais, chaque fois que je me payais ma propre tête, je me sentais mal après. Et seul.

Qualités

Un sens de ce qu'on pourrait appeler l'humour hara-kiri. Ma phrase de prédilection, celle que j'ai répétée le plus souvent – je sais, je me répète – était quelque chose comme suit : *Il était totalement différent de moi, donc on avait une chance de s'entendre.*

J'envoyais mes phrases cocasses les unes après les autres, elles s'élançaient puis se retournaient subitement sur elles-mêmes, plongeaient un couteau dans leur propre ventre et s'étalaient par terre raides mortes.

Personne ne s'est aperçu de cette syntaxe suicidaire avant qu'il ne soit trop tard.

État de santé général

Hormis quelques incidents où j'ai frôlé la mort de près – un duel au pistolet à Londres, deux ou trois accidents d'avion, la fièvre typhoïde – ma santé était excellente. Le seul problème, c'est que je guettais et redoutais constamment la maladie. La syphilis, surtout. Mais la syphilis était une métaphore. Pour la mortalité.

Passe-temps

Mot répugnant. J'avais besoin que les choses BOUGENT. C'est pourquoi j'aimais le cinéma et détestais les musées, aimais le voyage et détestais les monuments, aimais séduire et détestais la monogamie.

J'alternais entre une activité frénétique insensée et une sorte de stupeur hébétée. Jamais je ne m'adonnais à des activités qui exigeaient lenteur, patience et répétition, et qui m'auraient rappelé le passage du temps : jardinage, cuisine, alpinisme, apprentissage d'un instrument.

Mon idée de l'enfer : un week-end à la campagne.

Voici les titres de trois de mes livres : *La promesse de l'aube, Les couleurs du jour, La nuit sera calme.*

Manque, évidemment, le crépuscule. *L'angoisse du crépuscule.* Chaque après-midi, quand le jour commençait à baisser, je me jetais sur mon lit en proie à la terreur. Parfois les tremblements devenaient si incoercibles que je devais me faire une piqûre de tranquillisant. Une fois j'ai même dévalé les escaliers et traversé la cour comme un bolide pour me jeter, tête première, dans une poubelle. Je me répète, je sais, je sais, je me répète.

Influences littéraires

Sartre comme moi était un accro du travail et un homme à femmes ; comme moi il avait un certain penchant pour la vulgarité. À part ça, il a incarné dans sa vie et son œuvre tout ce que j'abhorre : prêchi-prêcha, sérieux, dogmatisme, pharisaïsme. Malheureusement, c'est exactement ce dont les Français avaient besoin, après la guerre.

Ils ont également développé un goût prononcé pour l'absurde. Ils étaient enchantés, par exemple, quand Ionesco leur a expliqué que les êtres humains étaient des rhinocéros, alors que moi j'essayais de leur expliquer que les éléphants étaient des êtres humains.

Peu de temps après la parution de mon premier roman, un certain Sam Beckett a commis une chose intitulée *L'innommable*. Rien à voir avec mon innommable à moi. Kafka, Beckett, Céline : ces nihilistes n'étaient pas mes frères. Moi, j'étais Victor Hugo ressuscité à l'époque des chambres à gaz et des bombes nucléaires, des mass media et des famines. J'étais un anachronisme vivant : le seul « romancier français » de l'après-guerre à avoir grandi dans la sauvagerie froide du bolchévisme et de la bâtardise.

Je n'appréciais guère la théorie ni les théoriciens, mais d'après ce que j'ai entendu dire d'un type nommé Michel Foucault, je partageais avec lui une véritable répugnance pour l'identité. On ne supportait pas d'être (repérés comme) ceci ou cela.

Aucun d'entre vous ne m'a connu.

Certains auront connu le pilote héroïque qui a aidé à libérer la France, beaucoup l'amant, certains le diplomate à Sofia, Los Angeles, La Paz, beaucoup l'ami et beaucoup le mécène, d'autres le scénariste, le réalisateur ou le pitre, une toute petite poignée l'écrivain, un seul le père, deux le mari, et une le fils impuissant, terrifié et avide… Aucun n'aura été capable d'embrasser tous mes « moi ».

Je semblais avoir vécu, comme se plaisaient à le dire mes quatrièmes de couverture, une dizaine de vies différentes. Mais en réalité, je n'existais pas. Je n'étais qu'une blague, un canular. Je vous ai éblouis un temps, et puis : rideau.

Enfants

Hormis moi-même, « fils de mes propres œuvres », j'ai mis au monde mille personnages : clowns et jongleurs, comiques et diplomates, hommes d'affaires et vieilles dames, enfants et fanatiques politiques, fabricants de poupées mécaniques et de cerfs-volants – tribu géante, gesticulante et bavarde composée d'êtres humains de la planète entière – parlant et baisant et riant et pleurant au long de quatre décennies… Ah, je finirai bien par te dédommager, Maman !

Mais, malgré ma liste impressionnante d'exploits, parvenu à la quarantaine je trouvais tout cela insuffisant, peu convaincant. Pire, je trouvais que cela ressemblait à de l'IMPOSTURE. Et que moi j'étais un FUMISTE, un CHARLATAN qui serait un jour ou l'autre démasqué, dénoncé pour ce qu'il était réellement : RIEN.

Et la paternité biologique, alors ? Peut-être cela me rassurerait-il en me donnant des racines réelles...

Ah, mais il était trop tard, trop tard. Quand Jean Seberg a mis au monde notre fils Diego, en 1963, je frôlais déjà la cinquantaine.

Jamais je ne pourrai parler avec mon fils, me lamentais-je. Le destin est contre nous. Quand il sera assez grand pour me parler, je serai mort.

Cause de la mort intempestive (si vous avez besoin de plus de place, utilisez les feuilles blanches ci-jointes)

Le mariage avec Jean a pris fin en 1969. Elle avait vingt-cinq ans de moins que moi, c'était une idéaliste. Elle soutenait avec ferveur le mouvement des Black Panthers, leur donnait tout son temps et son argent ; je ne voulais pas qu'elle soit écrasée par mon âge avancé et mon cynisme.

Après le divorce, elle a été à nouveau enceinte. L'enfant était comme moi : de père inconnu.

Le FBI a déclaré publiquement, dans *Newsweek*, qu'elle portait l'enfant d'un Black Panther. Profondément choquée, Jean a mal dormi pendant le reste de sa grossesse. Après une tentative de suicide, elle a mis au monde une petite fille qui est morte à l'âge de cinq jours. Elle l'a nommée Nina, pour ma mère. Et elle l'a ramenée dans l'Iowa pour l'enterrer.

Où aller à partir de là ?

André Malraux m'avait envoyé un mot, lors de la parution de mon roman *Les enchanteurs* en 1972, disant qu' «il ne pensait pas qu'on puisse encore faire un tel livre ».

Romain Gary était usé, desséché, impuissant.

C'est alors que le bâtard donna naissance à un nouvel auteur.

Un auteur jeune, frais, doué. Mon propre enfant naturel.

Je le nommai Émile Ajar. Du russe, encore.

Gary : Brûle !

Ajar : Braise.

Émile Ajar est né quand j'avais cinquante-neuf ans, l'âge qu'avait ma mère quand elle est morte. Mais, très vite, j'ai eu besoin de quelqu'un pour l'incarner. (Moi j'étais un corps sans nom, et lui, un nom sans corps.) Je choisis Paul Pavlowitch, le fils de ma cousine Dinah, que j'appelais mon « neveu ». Trois années durant, Pavlowitch a joué obligeamment Ajar devant la presse et le public enthousiastes.

Le premier livre d'Ajar s'intitulait *Gros-câlin* : c'était l'histoire d'un homme dont le meilleur ami était un python. Le succès fut instantané. J'ai demandé à Pavlowitch de l'envoyer à Malraux avec l'inscription : « Roman pas mort ! »

Secrètement, bien sûr, c'était de moi qu'il s'agissait. Roman, c'était moi, et je n'étais pas mort.

Pas encore.

Pour bien cacher mon jeu, j'ai continué, tout en écrivant les best-sellers d'Ajar, de pondre mes propres romans « médiocres » à raison d'un ou deux par an. Tous ces livres, ceux d'«Ajar» aussi bien que les «miens», traitaient des mêmes sujets : la tragédie du vieillissement et le manque d'amour.

En 1975, Émile Ajar s'est vu décerner le prix Goncourt pour *La vie devant soi*. Presque aussitôt après, sa «véritable» identité a été découverte : Ajar était «en réalité» Paul Pavlowitch ! En raison de notre lien de parenté, les gens me soupçonnaient d'avoir aidé Pavlowitch à écrire *La vie devant soi*, sinon de l'avoir écrit moi-même. Cela m'a mis en rage. J'ai nié avec indignation la paternité de l'œuvre.

Paul continuait de jouer Ajar avec aplomb, à plein temps désormais. Mais, sous le travestissement, sa propre personnalité se ratatinait et se déformait. Il n'avait plus de vie à lui. «Méfie-toi, lui dit Jean Seberg. Romain est un cannibale, ne t'approche pas trop.» Je me répète, je sais.

Le réseau des identités a commencé à se resserrer autour de nous.

Ajar était un hybride, un monstre frankensteinien sans mère, qui n'avait d'autre choix que de se retourner contre son créateur pour le détruire.

Comme les éditeurs et journalistes devenaient de plus en plus soupçonneux, j'ai écrit *Pseudo*, signé Émile Ajar, dans lequel «je» Paul Pavlowitch expliquait pourquoi «je» avait eu recours à un pseudonyme littéraire. Par ailleurs, dans cette confession d'un fou, «je», le Paul Pavlowitch fictif, donc, livrait une attaque sans merci contre Romain Gary, dénommé pour l'occasion «Tonton Macoute».

Naturellement, la seule personne qui pouvait être dans le secret était Pavlowitch lui-même ; c'est donc lui qui a tapé le manuscrit de *Pseudo*, dans toutes ses versions successives. Des milliers de pages d'une incohérence diaboliquement calculée ont été dictées par moi, tapées par lui, révisées par moi et retapées par lui sur une période de trois mois. Paul a commencé à craquer sous la tension. Moi aussi.

Mais – *the show must go on* ! – au beau milieu de ce psychodrame qui échappait à mon contrôle, j'ai écrit encore un roman sous le nom de Romain Gary, *Les cerfs-volants*, que l'on considère généralement comme le plus serein, le plus beau et le plus tendrement drôle de tous mes livres.

Peut-être avais-je le pressentiment qu'il serait le dernier.

Neuf ans après le décès de sa fille, presque jour pour jour, Jean Seberg s'est donné la mort.

Entre-temps, la nourrice de Diego était morte d'un cancer.

Il était clair que mon fils avait besoin de moi.

Mais je ne pourrai jamais lui parler, me lamentais-je. Le destin est contre nous.

Quand il sera assez grand pour me parler, je serai mort. Je me répète, je sais, je sais, je me répète.

Afin d'être sûr qu'on ne me démentirait pas, j'ai hissé Diego artificiellement dans l'âge adulte – l'affranchissant à l'âge de dix-sept plutôt que de dix-huit ans (c'est ainsi que j'aime à raconter l'histoire) – et j'ai disparu de la surface de la terre.

Soixante-six. Déjà deux fois le Christ. J'avais pris les péchés et la souffrance du monde sur mes épaules, mais personne ne semblait prêt à me crucifier. Romain Gary à soixante-dix, quatre-vingts, quatre-vingt-dix ans ? Grotesque. Impensable. Même si, comme je l'ai dit, ma santé était excellente.

Le 2 décembre 1980 était une journée pluvieuse à Paris. J'ai déjeuné au Récamier avec mon vieil ami et éditeur Claude Gallimard et fumé un cigare pour la première fois depuis trois mois. Ensuite, j'ai marché d'un pas tranquille de Saint-Germain-des-Prés à la rue du Bac, m'arrêtant en chemin pour acheter un peignoir en soie rouge. C'est cela que j'ai mis autour de ma tête quand je me suis allongé sur le lit, vêtu seulement d'un slip, rouge lui aussi, afin de ne pas bouleverser Leïla plus que nécessaire.

Je ne voulais pas que ça soit laid, vous comprenez.

Mais apparemment il n'y avait pas une goutte de sang.

Gary : brûle !

Ajar : braise.

Out, out, brief candle !

Se brûler la cervelle.

Une balle à travers la gorge.

Roman pas mort.

1994

Bulletin de Lettre internationale. n° 1, 1994

Post-scriptum 2002

D'une certaine façon, le fait qu'il y ait un grand écrivain français nommé « Romain Gary » donne raison à Nina ; c'est la preuve vivante de la capacité qu'ont les rêves d'agir sur le réel. Mais depuis sa mort et de plus en plus avec le passage du temps, Gary commence à atteindre enfin au but qu'il s'était fixé – lui-même, cette fois, et non plus Nina – à savoir : VIVRE, continuer de VIVRE le plus longtemps possible, non dans les colloques et les thèses universitaires, non dans les conversations mondaines, les émissions littéraires, les magazines, les encyclopédies – mais dans le cœur des gens, le plus de gens possible – comme un ami, un proche, quelqu'un avec qui on peut passer un moment privilégié, à qui on peut raconter ses peines, et qui vous écoute avec une patience et une bienveillance infinies.

III
ÂMES ET CORPS

L'ATTRIBUT INVISIBLE :
(RE)COLLAGE EN DIX MORCEAUX

> *Là où la race en général entre dans la tête d'un*
> *homme, vous trouverez, à la fin, beaucoup de*
> *personnes en particulier.*
>
> Djuna Barnes

Anatomique

Envie du pénis ? Vouloir ce que nous n'avons pas ?
Mais nous l'avons ! Oui, nous, les femmes ! On l'a ! Et
on ne s'en était même pas aperçu ! La bonne blague !
Et dire que ça fait des siècles que ça dure ! Des siècles
que, chaque fois que nous écartons les couvertures d'un
livre pour y pénétrer, nous sommes miraculeusement
affublées de cet attribut dont vous nous dites que nous
le convoitons ! Attribut invisible : la masculinité du
lecteur. Il n'y a pas de lectrices, il n'y a que des lecteurs.
Hommes lecteurs, femmes lecteurs. Têtes d'hommes sur
des corps de femmes. Pénis imaginaire (c'est pourquoi
il est passé si longtemps inaperçu), mais pénis quand
même. Pénis-regard, pénis-langue : nos seuls instruments
de savoir et de saveur.

Terminologique

J'espère que vous êtes nombreux à lire ces lignes
dans lesquelles je dirai « nous » pour quelqu'un qui n'est
pas vous (petite revanche toute bête et pas méchante).
Car comment, autrement, éviter la confusion ? Puisqu'il

s'agirait de la réduire... Quelle confusion ? Homme/homme : le genre pour l'espèce, comme on dit. Et cependant nous appartenons à l'espèce humaine, tout en faisant partie du genre féminin. Mais l'on parle également du « genre humain » : cela impliquerait-il que nous appartenions à une espèce autre que celle des hommes ? Nous les femmes, je veux dire. Mais non, puisque nous sommes ici dans un texte, et du coup appartenons toutes à l'espèce masculine, comme je viens de nous le dire. Mais par exemple. On peut se demander : faudrait-il ou non exiger que la Maison des Sciences de l'Homme devienne celle des sciences humaines ? Et les droits de l'homme ceux de la personne ? Ou au contraire, la terminologie actuelle n'a-t-elle pas l'avantage de dire ce qui est ?

S'agit-il de nos sciences ? Plus ou moins. Certaines sont bel et bien des sciences humaines : même si des hommes les ont élaborées et sont majoritaires à les pratiquer, le sexe des chercheurs ne saurait discréditer la linguistique ou la psychométrie enfantine. D'autres, en revanche, méritent encore d'être appelées sciences de l'homme, dans la mesure où elles portent de façon prépondérante sur la réalité masculine et sur les discours masculins qui la recouvrent. Peut-être sont-elles en train de se transformer peu à peu en sciences humaines, mais il ne faudrait pas que le nom, en devançant la chose, empêche par là même celle-ci d'advenir.

S'agit-il de nos droits ? Pas particulièrement. Le combat pour les droits de l'homme, dans les pays où ceux-ci sont bafoués, n'inclut pas très souvent les droits de la femme. Ainsi, s'il va de soi que dans le monde entier, en tant qu'Hommes, nous avons le droit de ne pas être torturés par le pouvoir politique, ou enfermés dans un hôpital psychiatrique en raison de nos croyances, il est tout sauf certain que nous ayons celui de ne pas être battues et/ou violées par nos conjoints, prostituées ou excisées, car on nous dit que le pouvoir des maris et des pères n'est pas un pouvoir politique ; c'est culturel ou naturel selon les cas, mais en tout cas incontournable... Dans son introduction à *Apprendre la non-agression*, Ashley Montagu fait l'éloge des Pygmées de la forêt Ituri de l'Afrique centrale, chez qui le fait de « battre leurs femmes, se chamailler et faire du bruit peut servir à tenir le comportement agressif sous contrôle ».

Anthropologique

Ce qu'implique la phrase de Montagu, c'est non seulement que l'agression contre les femmes n'est pas de l'agression, mais que les femmes pygmées ne sont pas des Pygmées. De façon similaire, les travaux de Malinowski sur « les Trobriandais » ont été rédigés à partir de témoignages recueillis exclusivement chez des hommes. Annette Weiner est retournée en Nouvelle-Guinée cinquante ans après et elle a causé avec des femmes trobriandaises ; elle décrit une société totalement différente. Si nous n'avons pas lu son livre, lisons-le (*La richesse des femmes, ou Comment l'esprit vient aux hommes*). Vous aussi, lisez-le ; c'est très intéressant.

Mais ce n'est pas cela, le plus intéressant. Le plus intéressant – pour nous, les non-intéressées – c'est par exemple cette lettre du Tribunal des peuples adressée au Pape et citée dans *Le Monde* du 4 février 1983, selon laquelle, au Guatemala, « des villages entiers avec femmes, enfants, vieillards, ont été exterminés, après que ces derniers aient été soumis à des tortures indescriptibles », et selon laquelle, en conséquence, « c'est l'image même de l'Homme qui est outragée au

Guatemala ». Le fait que ce soit l'image de l'Homme qui est outragée par de tels crimes nous fait oublier que ce sont des êtres humains de sexe masculin qui les ont perpétrés, et nous interdit de nous interroger sur les raisons de cela. *A contrario*, quand on affirme que l'homme est un loup pour l'homme (même si, comme l'a fait remarquer Mauriac, le loup n'est pas un loup pour le loup), on ne se demande jamais ce qu'il en est des louves. « L'Homme » est agressif, et du coup l'homme ne l'est pas spécialement. Or il l'est. Et vous ne voulez pas que nous sachions pourquoi. À moins que vous ne soyez des sociobiologistes. Auquel cas je ne vous parle pas. Ne leur parlez pas, vous non plus… Si ? Vous voulez leur dire un mot ?

« Les éthologistes prétendent que l'homme aussi, bien qu'il soit plus impuissant que n'importe quel autre animal à la naissance et doive passer presque le premier quart de sa vie à acquérir les capacités dont il a besoin pour en vivre le reste, se comporte largement en accord avec des déterminations génétiques. En d'autres termes, il est largement gouverné par des instincts innés qui, même s'ils ne prescrivent pas les chansons précises qu'il chantera, ni la manière exacte dont il fera la cour [aux femmes], le rendent inéluctablement égoïste, méfiant, âpre au gain – et meurtrier. Alors que les autres animaux de proie tuent leur proie mais rarement les membres de leur propre espèce, l'homme est considéré comme un tueur instinctif particulièrement sauvage à l'égard de sa propre espèce. Il n'est pas seulement une bête, mais la plus bestiale de toutes. » (Morton Hunt, « Man and Beast », *in* Ashley Montagu, *Man and Aggression.*)

Puisque nous sommes des hommes, il nous est loisible dans ce passage de chanter des chansons, de faire la cour (aux femmes) et de nous demander si nos pulsions meurtrières sont innées ou bien acquises. Et si nous n'avons pas de pulsions meurtrières, qu'à cela ne tienne ! Le texte nous les donne. Ça vient avec le pénis. C'est gratuit.

Philosophique

L'agressivité de l'homme, c'est une affaire non seulement de science mais de philosophie. Maurice Blanchot (*Lautréamont et Sade*) chante les mérites de la philosophie sadienne en la matière, parce qu'«elle nous montre qu'entre l'homme normal qui enferme l'homme sadique dans une impasse et le sadique qui fait de cette impasse une issue, c'est celui-ci qui en sait plus long sur la vérité et la logique de sa situation et qui en a l'intelligence la plus profonde, au point de pouvoir aider l'homme normal à se comprendre lui-même, en l'aidant à modifier les conditions de toute compréhension ». Nous devons savoir gré au Marquis de Sade d'avoir inclus des femmes dans ces « hommes »-là (vous êtes parfois presque trop généreux) : en effet, les héroïnes sadiennes sont, tout comme nous, dotées d'une virilité extraordinaire : non seulement sont-elles capables de blasphémer et d'assassiner, mais elles bandent ! Et déchargent du foutre à longueur de page… C'est que, comme l'explique l'une d'elles, Juliette, « la nature n'a créé les hommes que pour qu'ils s'amusent sur la terre […]. Nous lui obéissons en nous livrant au mal […]. Oh ! mes amis, convainquons-nous de ces principes : dans leur exercice se trouvent toutes les sources du bonheur de l'homme ». Ce sont les derniers mots de *Juliette*. Nous avons beaucoup de chance de pouvoir goûter à ce « bonheur de l'homme »-là : en tant que lecteurs, nous sommes en effet aussi souveraines que l'héroïne. Sans cela, nous aurions pu nous identifier aux « autres », aux femmes-femmes, celles qui ne jouissent pas de ce droit de l'homme qu'est le droit à la parole, et qui en crèvent.

Il est vrai que tous les philosophes ne sont pas sadiens. D'autres, loin de concevoir comme un droit de l'homme celui de jouir de toutes les femmes, conçoivent comme un devoir de l'homme celui de les fuir. La Bruyère, par exemple, affirme dans ses *Caractères* que « tout notre mal vient de ne pouvoir être seuls : de là le jeu, le luxe, la dissipation, le vin, les femmes, l'ignorance, la médisance, l'envie, l'oubli de soi-même et de Dieu. »[*] Serions-nous notre propre mal ? Il semblerait que oui. Alors comment faire pour éviter toutes ces embûches ? Comment une femme doit-elle s'y prendre pour fuir les femmes ? C'est élémentaire : il suffit de s'adonner à la lecture. Avec un livre entre les mains, nous aurons peu de chances de sombrer dans le vice. Nous serons protégées de tous les pièges énumérés par La Bruyère, hormis l'avant-dernier : l'« oubli de soi-même ». Il faut choisir.

Dans le tableau de Cagnaccio de San Pietro *Après l'orgie,* on voit éparpillés sur le tapis les divertissements de l'homme : cartes de jeu, bouteilles de champagne vides, mégots et cendres de cigares, verres à pied, corps de femmes nues endormies. Les sujets de l'orgie ont disparu ; ils sont rentrés chez eux. Nous, spec-tateurs, prenons leur place. Nous, femmes-hommes, reconnaissons la logique de la disposition des objets : jeu, luxe, dissipation, vin, femmes. Car bien sûr, quand La Bruyère disait « les femmes », il ne parlait pas de nous ; il parlait des femmes-femmes. Les autres. Les putains.

---

[*] Si nous avions un franc pour chaque passage philosophique dans lequel sont accolées, en tant qu'incitations à la débauche, les femmes et la boisson, nous serions tellement riches que nous pourrions bâtir notre propre empire, vous abandonnant à l'ivrognerie chaste.

Mais comment parvenons-nous à nous séparer des « autres femmes » ? En quoi consiste la distinction entre elles et nous ? C'est une question de regard : nous regardons et elles sont regardées. C'est une question d'attitude : nous sommes neutres et elles sont sexuées.

Mythologique

Dans « Strip-tease » de Roland Barthes, petite mythologie d'un grand adepte du neutre, nous sommes d'emblée dans le pronom neutre par excellence : le « on ». « Le strip-tease, lisons-nous pour commencer, est fondé sur une contradiction : désexualiser la femme dans le moment même où on la dénude. On peut donc dire qu'il s'agit d'un spectacle de la peur. » « On » peut le dire, mais pouvons-nous le dire ? Mais oui ! puisque, en tant que lecteurs, nous sommes nous aussi terrifiés par les femmes. Et pourquoi sommes-nous si terrifiés ? Parce que les femmes, c'est le mal. Et justement, le strip-tease « *affiche* le mal pour mieux l'embarrasser et l'exorciser ». Est-ce pour Roland Barthes, pour les habitués du strip-tease, ou bien pour tout le monde que le corps féminin incarne « le mal » ? Le terme a ici valeur de postulat ; il fait partie d'un syllogisme séculaire : le mal nous fait peur, les femmes c'est le mal, donc les femmes nous font peur. Or le strip-tease « vise à constituer au départ la femme comme un objet déguisé » ; et à l'arrivée, à signifier « la nudité comme habit naturel de la femme ». Mais si c'est naturel, comment cela peut-il être le mal ? Parce que c'est comme ça. La nature féminine, c'est le mal, et inversement, le mal féminin, c'est la nature. Tel est justement le mythe que Barthes se propose d'analyser.

Pour ce faire, il procède à une comparaison entre les professionnelles du strip-tease, dotées de « l'alibi de l'art et le refuge d'objet » et les amateurs, enserrés dans « une condition de faiblesse et d'apeurement » (et nous sommes là, confortablement installées dans nos fauteuils de lecteurs, en train de lorgner les unes et de se gausser des autres, au fur et à mesure du défilement du texte) – et de conclure avec l'observation piquante qu'en France « le strip-tease est nationalisé ». Pas la moindre mention d'un élément qui est pourtant indispensable au strip-tease, croyions-nous : l'argent. Ainsi, si les femmes se déshabillent en public, c'est parce que c'est dans leur nature, qui est le mal. Mais les *Mythologies* ne proposent-elles pas de désamorcer l'idée même de Nature, et de montrer qu'elle dissimule toujours de l'Histoire ? Le phénomène du strip-tease serait-il ahistorique ? Selon Barthes, il peut être « spectacle magique » ou « sport hebdomadaire », « français » ou « américain », « science » ou « concours populaire ». Mais en tant que tel, le strip-tease n'est pas interrogeable, pas politique, pas étonnant du tout. Allons. Les femmes sont toutes des putes, c'est bien connu. C'est-à-dire, toutes les autres. Pas nous qui lisons « Strip-tease ». Celles qui le font.

Érotique

« Se proposer est l'attitude féminine fondamentale [...]. Mais le jeu est faussé par la misère. Dans la mesure où la misère seule arrête au mouvement de fuite, la prostitution est une plaie ». Nous sommes maintenant dans *L'érotisme* de Georges Bataille. Une phrase comme celle-là risque de nous mettre tout de suite mal dans notre peau de lecteurs, donc passons à des choses plus subtiles. Parlons de la beauté. « Un homme, une femme, sont en général jugés beaux dans la mesure où leurs formes s'éloignent de l'animalité ». Hypothèse intéressante.

Comment sera-t-elle développée ? Comment s'expliquera-t-elle ? C'est que, apprenons-nous deux pages plus loin, « la beauté (l'humanité) d'une femme » concourt à « rendre sensible – et choquante – l'animalité de l'acte sexuel. Rien de plus déprimant, pour un homme, que la laideur d'une femme, sur laquelle la laideur des organes ou de l'acte ne ressort pas ». Et l'homme, où est-il passé ? D'objet de contemplation, il est redevenu sujet de discours, de regard, de jugement... et nous avec. Les femmes laides, ça nous déprime, nous aussi. C'est vrai. Nous nous déprimons, quand nous nous sentons laides. Ne pensons pas à cela. Nous ne sommes pas devant une glace en ce moment, mais devant une page écrite. Ce qui veut dire que nous ne sommes pas des femmes mais des hommes, ça doit être la cinquième fois que je nous le répète. Et non seulement des hommes, mais des hommes cultivés. « La dépense d'énergie de l'anthropoïde, dont l'orgasme n'a demandé qu'une dizaine de secondes, est évidemment inférieure à celle de l'homme cultivé, qui prolonge le jeu durant des heures », affirme Bataille dans un commentaire du rapport Kinsey. Voilà un homme auquel nous pouvons nous identifier – de tout cœur ! C'est l'être humain, bien sûr, qui batifole ainsi des nuits entières. Pas tous les êtres humains, s'avère-t-il par la suite, car « l'art de durer est lui-même inégalement réparti entre les différentes classes », et « la prolongation du jeu est l'apanage des classes supérieures ». Nous en sommes probablement encore, du moins la plupart d'entre nous... jusqu'à la phrase suivante, où nous apprenons que « les hommes des classes défavorisées se bornent à des contacts rapides, qui, pour être moins brefs que ceux des animaux, ne permettent pas toujours à la partenaire d'arriver elle-même à l'orgasme ». Ainsi y aurait-il d'une part les « animaux », d'autre part les « hommes », et troisièmement les « partenaires » de ceux-ci, les lentes à jouir. Dans laquelle de ces trois catégories nous situons-nous ? Nous pensions être dans la seconde ; en fait il semblerait que nous flottions quelque part entre la première et la troisième. Parce que quand il arrive enfin, l'orgasme de la femme, si vous avez été assez cultivées pour l'attendre, c'est « comme si quelque chienne enragée s'était substituée à la personnalité de celle qui recevait si dignement » : « la chienne *jouit* ».

Mais enfin, ne sommes-nous pas de mauvaise foi ? Le biais masculin de ces textes ne vient-il pas tout simplement de ce qu'ils sont écrits par des hommes ? En effet, il s'agissait du rapport Kinsey sur la sexualité masculine, et Bataille étant hétérosexuel ne pouvait décrire que ce qu'il voyait, lui, de la jouissance : nous les femmes pourrions tout aussi bien voir nos partenaires se transformer en chiens. Nous le pourrions. Mais nous ne le faisons pas. Nous sommes trop accoutumées à voir le monde à travers vos yeux à vous.

Statistique

Là où votre hégémonie est la plus insidieuse, c'est là où elle ne dit pas son nom. S'il est courant, et souvent juste, de dire « sciences de l'homme », pourquoi ne parle-t-on pas des « arts de l'homme » aussi ? Peut-être le devrait-on. Peut-être cela nous aiderait-il à les comprendre. Ainsi, que les femmes soient des chiennes, ce n'est pas seulement la théorie de Georges Bataille qui nous le prouve, mais sa fiction aussi. Et nous en sommes d'autant plus convaincues que là, ce n'est pas lui qui le dit, mais les femmes elles-mêmes. Réa, par exemple, qui dans *Ma mère* déclare au narrateur : « Je suis ta chienne, je suis sale, je suis en chaleur ». C.Q.F.D.

Dans le journal de gauche *Libération,* au moment où fut annoncée la proposition de loi anti-sexiste, nous avons pu lire que « le vocabulaire de l'amour ressemble à celui des militaires [...]. Or la littérature est le journal intime des histoires d'amour de l'humanité. La condition humaine sans cesse psalmodiée devant le miroir magique de l'écriture par des nécromants fanatiques ». Suivait une liste de cinquante-cinq ouvrages qui pourraient désormais, selon l'auteur de l'article, être mis à l'index en tant que « provocations publiques à la haine sexiste » (Daniel Rondeau, « Requête à Madame Roudy pour l'interdiction des livres d'amour », *Libération* du 10 mars 1983). Cinquante-quatre d'entre eux ont été écrits par des hommes. Le cinquante-cinquième, c'est *Madam',* de Xaviera Hollander. Je ne dis pas (et d'ailleurs, *personne* ne dit) que ces livres devraient être censurés. Je dis seulement ceci : étant donné que la moitié de ceux qui subissent la « condition humaine » ne psalmodient *pas* devant ce « miroir magique » qu'est l'écriture, il y a de fortes chances qu'il soit une glace déformante.

Et effet, c'est pour vous, bien plus souvent que pour nous, que les guerres amoureuses deviennent une source d'inspiration créatrice. C'est vous qui avez filé la méta-phore millénaire du corpus/corps de femme. « Il y a dans tous mes romans – c'est Robbe-Grillet qui parle – un attentat contre le corps, à la fois le corps social, le corps du texte et le corps de la femme, tous trois imbriqués. Il est certain que, dans la fantasmatique masculine, le corps de la femme joue le rôle de lieu privilégié pour l'attentat. » (Cité dans *Le Monde* du 22 septembre 1978.) C'est que le corps du texte, à l'instar du corps de la femme, recèle des mystères, pose des énigmes, exige de l'interprétation. Ou bien, inversement : nous les femmes, à l'instar des livres, nous contenons une vérité secrète, dissimulée sous des voiles, des charmes, des grâces, des maquillages... Pourquoi « farder » la vérité ? Pour faire durer le suspense. La littérature est un immense strip-tease.

Mimétique

Tant que nous nous contentons de lire, nous pouvons être des hommes impunément ; personne ne s'en apercevra, pourvu que nous n'en disions rien. Mais dès que nous nous mêlons d'écriture – et cela se voit le plus clairement dans les textes érotiques, où il est question précisément de différence sexuelle –, notre imposture risque de se transformer en mauvaise posture : c'est notre corps entier, et non seulement notre attribut, qui risque de devenir invisible. Car ces livres « sont » en quelque sorte nous-mêmes. Sur le vif, et à vif... Examinons d'un peu plus près comment cela se passe.

Georges Bataille a vécu pendant un certain temps avec une femme aussi intelligente que lui. Elle s'appelait Laure. D'accord, elle ne s'appelait pas vraiment comme ça, elle avait un nom et un prénom comme tout le monde, mais pour écrire elle s'appelait « Laure » – c'est mieux que rien. Le texte intitulé « Vie de Laure » de Georges Bataille s'interrompt au moment où ils se mettent à vivre ensemble : « comme si, écrit Jérôme Peignot, compilateur des *Écrits de Laure* et neveu de leur auteur, l'essentiel de ce qu'il avait à mettre dans ce texte, Bataille l'avait incorporé aux livres qu'il écrivit à partir de cette date, ses livres à l'arrière-plan desquels Laure se trouve d'une manière indubitable ». (Il s'agit, notamment, du *Bleu du ciel*.)

Laure, elle, n'a jamais publié de livre érotique, elle a seulement laissé des « fragments et plans de textes érotiques » : cela fait six pages en tout et pour tout. L'un de ces fragments s'appelle « Laure ». Nous croyions que l'auteur s'appelait Laure ? Oui, mais c'est comme ça : une femme se prend souvent pour objet de son propre texte. Dans celui-ci – le seul de tous les écrits de Laure à être rédigé à la troisième personne – nous lisons qu'« il était au-dessus d'elle, tout droit, très haut, son sexe brillait dans un rais de lumière ; alors elle le désira, elle le voulut et lui, d'une voix basse et frénétique, lui dit : « Chienne, trois fois chienne, tu oses vouloir ».

L'homme est un loup pour l'homme, comme disait l'autre, et la femme est une chienne pour la femme, découvrons-nous. Mais peut-être pourrions-nous nous demander, malgré tout : cette perception ne provient-elle pas de ce que nous sommes *traitées* comme des chiennes ? Bataille raconte qu'avant de vivre avec lui, Laure avait vécu à Berlin avec un homme qui « lui fit porter des colliers de chien », qui « la mettait en laisse à quatre pattes et la battait à coups de fouet comme un chien ». Ce n'est pas tellement que vous preniez vos désirs pour des réalités, c'est plutôt que vos désirs *deviennent* notre réalité. À moins que nous ne nous mettions de votre côté. À moins que nous n'adoptions votre optique. À moins que nous n'apprenions à parler avec vos mots, c'est-à-dire à entrer en lice contre nous-mêmes : « Aux chiottes », écrira Laure dans un de ses moments triomphalement transgressifs :

Aux chiottes
les grands sentiments
les passions pesantes.
Que tout chavire :
que nos mères soient maquerelles,
que nos femmes soient putains,
nos filles violées.

Bizarre, bizarre. Nous savions que nous avions des mères, et éventuellement des filles, mais nous ignorions avoir aussi des femmes. Que nous en ayons, cela doit être la conséquence de la « cour » que nous leur avons faite tout à l'heure. Tout cela se tient admirablement. Soit : nous avons des femmes. Qu'elles soient donc putains. Nous ne risquons rien... sinon d'être accusées de mimétisme.

« Mes leçons bien apprises, je parle – ou plutôt non, sur les traces de celui qui parle si bien –, à mon tour je décris les tendres scènes, violentes et suprêmement obscènes qu'ils ont, à mon propos, imaginées ». L'auteur de ces lignes s'appelle Mara. D'accord, elle ne s'appelle pas vraiment comme ça, elle a un nom et un prénom comme tout le monde, mais pour écrire elle s'appelle « Mara » – c'est mieux que rien. Rien, c'est pourtant ce à quoi Mara aspire le plus ; elle dit souhaiter « atteindre au plus entier anonymat : devenir absolument une femme », et par ailleurs elle affirme ne voir « rien, en ce monde, qui soit plus à l'image d'une femme que le suicide ». Ainsi, ce serait non seulement dans votre fantasmatique à vous, mais également dans la nôtre, que le corps de la femme est le « lieu privilégié pour l'attentat » ? Se pourrait-il que nous nous considérions nous-mêmes comme des cadavres ambulants ? « Écrire, écrire, dit en effet Mara, et le propos, s'agissant d'un livre érotique, en est (je n'y échappe pas) : *je ne peux parler que de ma mort* ». Mais pourquoi ? Peut-être à cause de l'analogie entre le livre et la femme ? N'est-ce pas pour cette raison que Jean Paulhan trouve « évidente » la fin d'*Histoire d'O* que Pauline Réage ne parvint pas à écrire ? « Se voyant sur le point d'être quittée par Sir Stephen, elle préféra mourir. Il y consentit... » Quand le livre s'arrêtera, la femme ne devra-t-elle pas s'être tu(é)e ?

Mara s'acharne contre son propre corps, le bâillonnant de nourriture ou grattant ses boutons jusqu'au sang ; de même, à de nombreuses reprises, elle déchire les cahiers qui contiennent ses écrits. Et Laure ? Elle dit que « l'œuvre poétique est viol de soi-même, dénudation » ; aucun homme ne s'était encore exprimé ainsi.

Jeux d'optique

Le plus grave, c'est que, obnubilées par votre point de vue, nous vous avons abdiqué notre regard. « Crevez-moi les yeux, hurle Mara, emplissez-moi la bouche de mes yeux, bourrez et bâillonnez cette face horrible, aveugle et monstrueuse ». Elle dit avoir, à la place de ses yeux, deux plaies béantes qui saignent : « Dans la bouche de mes amants, mes yeux, mes yeux morts et sanglants, je les ai enfournés » . Mais en même temps elle est lucide ; elle reconnaît : « J'ai commencé à mourir le jour où je n'ai plus su voir et regarder ». La conséquence de cette abdication de notre regard est à la fois néfaste et logique : nous ne vivons et n'écrivons que pour vous. Nous vous soumettons nos expériences : tout comme nous-mêmes, elles vous sont soumises. « Je m'appliquais, dit Mara dont le livre s'appelle justement *Journal d'une femme soumise*, avec calme et presque dévotion, pensant comme je raconterais la scène à N ensuite, attentive à n'en perdre aucun détail ». N, c'est son homme, « celui qui parle si bien ». Comme Jean Paulhan, destinataire (et peut-être co-auteur) de ce qu'il appela « la plus belle lettre d'amour qu'un homme ait jamais reçue » : *Histoire d'O*. Ou comme le « collectionneur » new-yorkais qui rémunéra Anaïs Nin à la page pour la rédaction de ses *Venus erotica*.

Il est vrai que nous sommes grandes maintenant, que nous revendiquons, à corps et à cris, le droit de prendre la parole, et la plume, et notre pied ; mais nous n'avons pas pour autant, du moins la plupart d'entre nous, récupéré nos cerveaux et nos yeux.

Ainsi se trouve revérifié, au terme de nombreuses péripéties, le constat du départ : nous sommes les autres de nous-mêmes ; tout en étant femmes, nous sommes des hommes. Mais il ne faudrait pas que ce constat nous pousse seulement au désespoir, ou seulement à l'indignation. Car dès l'instant où nous devenons conscientes (mais tout est là) de notre condition hermaphrodite, elle peut représenter tout le contraire d'un handicap. Grâce à elle, au lieu d'être condamnées à lire toujours dans l'unisexe, dans l'unisens, dans l'université, nous pouvons nous mouvoir d'emblée dans la polyversité (ou polymorphe perversité) ! Car à tout prendre, du fait même que nous sommes duplices, nous courons moins le risque d'être dupes : des sciences, des arts, des idéologies, de tout ce qui constitue le bagage culturel de l'Homme. Simultanément Hommes et femmes, sujets et objets, dans et en dehors de l'identité et de l'identification, nous sommes en quelque sorte les hybrides du genre humain : et en tant que telles nous pouvons être plus proches de la vérité, qui, elle, est toujours bariolée.

1984

Le genre humain, n° 10, *Le masculin,* printemps-été 1984.

LA DONNE

Je suis belle. Je n'ai encore jamais rien écrit à ce sujet, mais tout d'un coup j'ai envie d'essayer de le faire. Elle dure, ma beauté, depuis un bon moment déjà mais elle n'en a plus pour longtemps parce que j'ai quarante ans au moment où j'écris ces lignes, quarante maintenant et sans doute quarante et un au moment où vous les lirez, et ainsi de suite, et tout le monde sait que ça se termine dans des vers de terre ou des cendres, mais pour l'instant je suis encore belle. Plus ou moins. Moins qu'avant, en dépit du fait que je badigeonne régulièrement de henné mes cheveux blancs et de correcteur de teint les cernes sous mes yeux. Moins belle que Mme Bhutto du Pakistan, qui a tout juste mon âge. Moins belle, désormais, que bon nombre de mes étudiantes, mais toujours un petit peu plus, je crois, que ma fille de onze ans. Pendant encore un an ou deux (« Miroir, gentil miroir », etc.)

Par ailleurs, je suis intelligente. Moins que Simone Weil. Mon intelligence diminue, elle aussi, de jour en jour – bien que différemment de ma beauté – ; et elle finira, elle aussi, dans les vers de terre ou les cendres. Mais quand même. Pour l'instant, je suis plutôt intelligente.

Quand je dis que je suis belle et intelligente, je ne suis pas en train de me vanter. Je n'y suis pour rien : je n'ai fait que prendre raisonnablement soin de la beauté et de l'intelligence programmées en moi par le coup de

155

dés des chromosomes de mes parents. (Eux aussi, dans leur jeunesse, étaient beaux et intelligents, ils le sont nettement moins maintenant, mais cela vous intéresse probablement moins que le reste de ce que j'ai à dire.) Comment est-il possible de se vanter pour des choses dont on n'est pas responsable ?

On reçoit à la naissance une donne : parmi les cartes distribuées, certaines sont génétiques (la couleur de la peau, la musicalité, les hémorroïdes), d'autres, culturelles (la religion, la langue, la nationalité), mais toutes sont données plutôt que choisies. Plus tard, arrivé à l'âge adulte, chacun de nous peut prendre la décision consciente de changer certaines de ses cartes – en se convertissant du catholicisme au judaïsme, par exemple, ou en s'expatriant, ou même en subissant de la chirurgie sexuelle – mais, inévitablement, la donne de départ laisse sur nous une empreinte profonde et indélébile.

Bien que ce soit la chose la plus répandue au monde, je n'ai jamais compris qu'on puisse se vanter du jeu qu'on avait reçu grâce aux hasards du destin. Peut-être mes propres origines sont-elles trop fades pour avoir suscité en moi ce type de chauvinisme : il ne m'est jamais venu à l'esprit de tirer orgueil du fait que je suis née à Calgary, ou que j'ai été élevée dans le protestantisme, ou que j'ai la peau blanche, ou que je suis de sexe féminin. De même, je ne suis responsable ni de ma beauté ni de mon intelligence, qui ont joué un rôle incroyablement important dans les quarante années que j'ai passées sur cette planète... et dont, pourtant, jusqu'aujourd'hui, je n'ai jamais eu le courage de parler.

Ma beauté m'a conduite dans bien des endroits. De façon répétée, je l'ai vue attaquer et ronger des frontières, puis m'amener avec elle sur des territoires étrangers et étranges, où j'avais parfois très envie d'aller et parfois pas du tout. Les frontières, ce sont des idées que la société érige entre les groupes d'âges, les classes sociales, toutes sortes d'entités hiérarchiques, afin de pouvoir fonctionner de façon aussi prévisible et aussi convenable que possible. Ce ne sont pas des murs de brique. La beauté les ronge. C'est la stricte vérité : tous, nous avons assisté au déroulement de ce processus, même si cela se passe différemment selon les pays (j'y reviendrai).

Je n'étais pas spécialement belle, enfant. J'ai commencé à le devenir vers l'âge de quinze ans, pendant mon avant-dernière année de lycée (j'avais sauté une année, longtemps auparavant, car mon intelligence s'était manifestée bien avant ma beauté), et, dès que cela s'est produit, j'ai séduit / été séduite par mon professeur de littérature. Il avait dix ans de plus que moi (mais quelques années de moins que l'homme que j'ai fini par épouser) ; un peu avant la fin de l'année scolaire, il a pris tout ce qu'il me restait en matière de virginité après les jeux érotiques enfantins avec mon grand frère. J'étais aux anges, follement flattée, follement amoureuse, et, pendant longtemps, fière – oui, car c'était là une chose dans laquelle ma responsabilité était pleinement engagée.

Cette histoire d'amour était réelle, sérieuse. Elle a culminé par des fiançailles, que j'ai rompues à l'âge de dix-huit ans, lorsque je suis tombée amoureuse de quelqu'un d'autre. Ainsi, pendant près de trois ans, ma vie a tourné autour de cet homme. Le harcèlement sexuel n'avait rien à faire là-dedans.

Ah, mais ne profitait-il pas de sa situation ? de son éducation, si supérieure à la mienne ? de la haute estime intellectuelle dans laquelle je le tenais ? Certainement, de même que moi, je tirais profit de ma jeunesse, de ma beauté, et du peu d'innocence que je possédais encore. On désirait la même chose, qui était d'être amoureux l'un de l'autre. Étions-nous des égaux ? Socrate et les éphèbes qu'il éduqua et sodomisa étaient-ils des égaux ? La société américaine contemporaine, semblerait-il, serait prête à condamner Socrate à mort une nouvelle fois, bien que pour des raisons différentes que celles des Athéniens.

Soyons prudents. Soyons subtils. Ne nous laissons pas emporter par les délices de la polémique et de la colère et de l'indignation. Le sujet est complexe, exactement aussi complexe et contradictoire que l'espèce à laquelle nous appartenons ; il ne faut surtout pas chercher à l'aplatir et à le repasser et à le tirer à quatre épingles. Est-ce que je voudrais que ma fille couche avec un de ses professeurs ? Non, pas à l'âge de onze ans. À quel âge, alors ? Eh bien, quand elle aura une volonté à elle, un désir à elle et un intellect capable de discernement. En d'autres termes, quand (et *si*, car toutes les jeunes filles n'ont pas le même bizarre penchant que moi pour les intellos d'âge mûr) elle en a envie. J'ai comme l'impression que, dans son cas, cela voudra dire quelque chose comme jamais, mais, bien évidemment, je n'en sais rien.

Écoutez. Au printemps dernier, je me suis trouvée dans un cocktail littéraire à Montréal, debout dans un coin en train de boire du vin avec mon frère et un éminent écrivain québécois. La conversation en est venue aux cas, qui faisaient alors la une de tous les journaux, des jeunes garçons sexuellement molestés par les prêtres dans les écoles catholiques. « Le problème avec tout ce brouhaha, dit mon frère soudain, c'est qu'il ne pourra plus jamais y avoir de vraies histoires d'amour dans ces contextes-là. » J'ai vu l'écrivain le scruter pour s'assurer de sa sincérité et puis, à mon grand étonnement, il a dit en hochant la tête : « Oui, vous avez raison. J'ai eu la chance, moi, de connaître ça. Bien sûr, je n'avais pas dix ou onze ans, j'en avais seize. Mais tout de même... »

L'homme était maintenant sexagénaire. Depuis plusieurs décennies, sans doute, il n'avait osé faire allusion à cette expérience, son amour adolescent pour un de ses professeurs, mais le souvenir en était encore assez vif pour que sa voix en tremble d'émotion. Il était clair qu'il avait aimé ce professeur, de même que moi j'avais aimé celui qui était devenu mon fiancé. Et, parce que nous les avons aimés, nous avons aussi *appris* de ces professeurs séduisants. Ils avaient nourri notre intelligence, éveillé nos sens et nos esprits. J'avais lu mille livres grâce au mien.

Encore une fois, beaucoup dépend de l'âge de l'enfant, et de sa vulnérabilité psychique. Je ne songe pas à mettre en doute le fait que des élèves aient été, peuvent être, sont sexuellement manipulés ou molestés par leurs professeurs ; tout ce que je demande c'est que, de ce fait, on ne tire pas la conclusion aberrante que le corps doive être radicalement éliminé de toute situation pédagogique. Au cours de mes propres années d'enseignement, même s'il se trouve que je n'ai jamais flirté ni fait l'amour avec mes étudiants, je suis persuadée que ma beauté a contribué positivement à la transmission du savoir et des idées, à la stimulation de leurs cerveaux.

Il y a d'autres frontières rongées par ma beauté, que j'aurais préféré voir préservées. Par exemple, je me serais volontiers passé des caresses infligées à mes cuisses par le médecin aux cheveux blancs qui a fait mon premier examen gynécologique, ou des regards languissants du jeune dentiste qui a arraché mes dents de sagesse. Probablement depuis l'âge de pierre, les jeunes filles jolies (et moins jolies) ont dû apprendre à se défendre – que ce soit à travers le sarcasme, le rejet glacial ou des coups de karaté – contre ces agaçants empiétements sur leur intégrité. Ils peuvent venir de n'importe qui… y compris, non exceptionnellement, des femmes. Là encore, le seul critère qui permette de juger si un geste est oppressif ou non, c'est s'il provoque ou non le malaise ; s'il laisse ou non la place et le désir d'une réponse, d'un échange.

D'autres expériences frontalières me semblent, si j'ose dire, « limites ». Ainsi, à la fin de mon lycée et avant d'entrer à l'université (et, pour tout dire, afin de gagner l'argent nécessaire pour aller à l'université, car la richesse ne figurait pas parmi les dons et avantages que m'ont conférés mes parents à la naissance), j'ai travaillé à plein temps comme secrétaire médicale dans la clinique psychiatrique d'une Très-auguste institution éducative. À ce moment-là j'avais dix-sept ans et j'étais vraiment assez belle, dans mon genre, qui est le genre WASP. Par ailleurs, j'étais extraordinairement déprimée. Il se peut même que ma dépression ait contribué à ma beauté (car, comme l'a fait remarquer Bob Dylan, les *sad-eyed ladies* ont quelque chose d'irrésistible). J'étais déprimée en partie parce que mon fiancé était au loin, en partie parce que dactylographier des dossiers psychiatriques était une initiation plutôt merdique au monde des adultes, et en partie parce que mon intelligence supérieure rendait pénible et humiliant de travailler à plein temps comme secrétaire. Au bout de quelques mois, j'étais tellement suicidaire que j'ai entamé moi-même une psychothérapie, avec un de mes patrons. Non, ce n'est pas une blague. La thérapie était comprise dans l'assurance médicale dont je bénéficiais en tant qu'employée de la Très-auguste institution. Le psy que j'ai choisi de voir – régulièrement, seul à seule, dans son cabinet, une ou deux fois par semaine – était, très naturellement, celui que j'aimais et respectais le plus, après des mois passés à transcrire au dictaphone les résumés de ses séances. Nous étions même devenus presque copains. Il avait quarante ans à l'époque, comme moi maintenant, et (là aussi comme moi) était plutôt gâté par la nature en matière de corps et d'esprit. Avant de commencer à m'allonger sur son divan, j'avais déjà fait du baby-sitting pour ses enfants, assisté à quelques-unes de ses conférences dans la Très-auguste institution, et reçu de lui, en cadeau de Noël, une merveilleuse paire de chaussures de course (comme des millions d'autres Américains, il faisait du jogging chaque jour pour se délivrer des calories et de la colère).

J'ai donc commencé une thérapie avec lui, et d'autres frontières ont été rongées. Non, il ne m'a pas violée ni même tripotée ; il ne m'a pas non plus écrasée sur le canapé avec le poids terrifiant de son corps. À dire vrai, son corps était assez menu et sympathique, pas terrifiant pour deux sous.

Il m'embrassait. Debout, à la fin de chaque séance. Moi aussi, je l'embrassais. La plupart du temps sur la bouche. Parfois sur les joues ou dans le cou. D'après mes souvenirs, la langue n'est jamais intervenue dans ces contacts. La contrainte non plus. Je trouvais les baisers de mon thérapeute réconfortants et flatteurs, mais pas excitants. Il se peut que lui ait été excité, mais si c'était le cas il ne me l'a jamais fait sentir. Cette frontière-là, au moins, a été préservée.

Cette expérience était-elle traumatisante ? Dans mon cas, je crois que non. D'autres gestes, commis par d'autres individus immatures ou irresponsables exerçant sur moi de l'autorité, ont laissé dans ma psyché des cicatrices autrement plus profondes. Ma maîtresse de première année à l'école, par exemple, qui – avant que je ne « saute » dans la classe au-dessus – a rayé de son stylo rouge un exercice imparfait dans mon cahier, si rageusement que la page en a été déchirée. Personnellement, je préfère de loin les baisers aux déchirures.

Néanmoins, la question demeure : pourquoi ce psy ressentait-il le besoin de m'embrasser ? Tel que je comprenais les choses à l'époque (avec, me semble-t-il, pas mal de lucidité), c'était en partie en raison de ma beauté et de mon intelligence, et en partie parce que mon état d'extrême fragilité avait stimulé ses instincts de mâle protecteur. Je dis cela sans la moindre ironie. Du reste, je sais que c'est vrai parce que j'ai dîné avec cet homme le mois dernier. J'étais retournée à la Très-auguste institution pour y enseigner pendant un semestre, on ne s'était pas vus depuis vingt-trois ans, il approche maintenant de la retraite, on s'entend toujours bien, et, au cours de ce repas, il m'a dit qu'en 1971, quand j'étais sa patiente et sa secrétaire et sa baby-sitter et son amie, son plus grand désir eût été, en me voyant sortir dans le monde, de pouvoir jeter sur mes épaules un manteau de protection invisible.

Je l'ai cru.

Également au cours de ce repas, il m'a félicitée de m'en être si bien tirée. Je l'ai vu chercher dans sa tête des adjectifs élogieux pour me décrire, corps et âme, et des adverbes pour décrire les adjectifs. Les compliments qu'il prononçait étaient tout à fait délicieux mais j'avais du mal à les goûter pleinement car ils étaient à chaque fois précédés d'excuses : « J'espère que vous n'allez pas me trouver paternaliste, mais... – Au contraire ! l'encourageais-je de ma voix la plus chaleureuse. Continuez, je vous en prie ! » Mais, au fond de moi-même, j'étais consternée. Que s'était-il passé dans ce

162

pays ? Était-il vraiment devenu si dangereux de louer la beauté et l'intelligence d'une femme ?

... Mais revenons à la chronologie.

Au bout d'un an de travail comme secrétaire, j'avais économisé suffisamment d'argent pour entrer, avec l'aide d'une bourse et d'un prêt, à l'université. J'ai même été acceptée dans une université excellente – grâce, en principe, cette fois, non à ma beauté supérieure mais à mon intelligence supérieure. J'avais dix-huit ans et, en raison de l'ambiance free-love dans laquelle nous flottions tous, dans ces années d'après la pilule et d'avant le sida, il ne me restait plus un seul gramme d'innocence. J'avais fait l'amour avec un nombre effrayant de messieurs (les messieurs ne pouvaient plus m'effrayer, seulement leur nombre). Je vivais avec celui pour lequel j'avais quitté mon fiancé-professeur-de-littérature. Et j'avais décidé d'étudier, entre autres, la littérature.

Même si l'écrivain-professeur avec qui j'ai étudié dans cette université n'était pas à l'époque, comme il l'est devenu depuis, mondialement célèbre, il avait du charisme à revendre. Nous étions une douzaine d'étudiants à participer à son atelier d'écriture : dix femmes et deux hommes, si je me souviens bien. Écartons d'emblée les hommes. Les dix femmes étaient toutes, par définition, très intelligentes. Pour une raison assez mystérieuse, la plupart d'entre elles étaient, en outre, très belles. Depuis début septembre jusqu'à fin mai, nous nous livrâmes une concurrence féroce pour plaire au professeur.

Bon. Que veut dire, exactement, « plaire au professeur » ? Eh bien, cela veut dire que, toutes, on se servait de notre esprit et de notre corps pour gagner son approbation, de même que lui se servait des siens pour gagner la nôtre. On s'habillait d'une certaine façon, on parlait d'une certaine façon, on écrivait nos nouvelles d'une certaine façon, et, deux fois par mois, on entrait dans son bureau pour nos « consultations » individuelles en marchant d'une certaine façon, chacune espérant qu'il la reconnaîtrait, elle, comme l'être spécial dont le corps et l'esprit étaient dignes de son appréciation, de son admiration, de ses caresses.

J'ai gagné.

Bien sûr, il se peut que je n'aie pas été la seule gagnante. Il se peut qu'on ait été dix à gagner, et que ce professeur ait été prodigieusement doué pour le jonglage de ses horaires. Mais je ne le crois pas.

À l'université comme au lycée, j'étais un sujet actif et non un objet passif dans mes histoires d'amour avec mes professeurs. Cette fois, cependant, il ne s'agissait pas d'un grand amour ; je savais que l'homme en question n'était pas un élément crucial de mon destin. Tous deux on se sentait coupables de trahir nos partenaires, et les chambres d'hôtel où l'on se retrouvait étaient à la fois sordides et hors de prix. Assez vite, on mit fin au versant sexuel de nos relations… et c'est probablement une bonne chose, car si les autres étudiants l'avaient pressenti, l'atmosphère de la classe en aurait pâti. Néanmoins, on est resté en contact pendant plusieurs années.

Mais mon histoire change maintenant de direction.

À l'âge de vingt ans, sous les auspices de mon excellente université, je suis venue passer un an à Paris – afin, comme on dit, d'élargir mes horizons. Je suis restée l'année suivante, et puis encore deux autres années pour faire un mémoire de maîtrise, et aujourd'hui, vingt ans et deux enfants français plus tard, force m'est de constater que je vis en exil, même s'il s'agit d'un exil doré. (Après tout, les pilules aussi peuvent être dorées.)

Assez étrangement, en dépit de la réputation internationale des hommes français comme obsédés sexuels, mes échanges en France avec des professeurs, employeurs, gynécologues, dentistes et psychanalystes des deux sexes ont été, depuis le début, globalement décents. Comme je ne suis pas devenue subitement moche en débarquant à Paris, ce phénomène m'a beaucoup donné à réfléchir. Et en fin de compte, je me demande si les expériences érotiques « limites » que j'ai connues dans ma jeunesse n'étaient pas déterminées, au moins en partie, par des facteurs culturels ; autrement dit, si elles n'avaient pas quelque chose de spécifiquement américain (plutôt que, mettons, de « moderne » ou d'« occidental »).

Il me semble qu'en règle générale (et avec toutes les précautions rhétoriques de rigueur dans ce type de généralisation), les Français acceptent le fait qu'ils ont et sont des corps. La règle du jeu gouvernant les comportements dans l'espace social est loin d'être aussi polarisée que chez les Américains, où l'alternative semble être : ou le contact direct, ouvertement sexuel, ou l'indifférence feinte à tout ce qui relève du corps. En France, il existe un niveau de communication intermédiaire, basé sur l'échange perpétuel de regards et de plaisanteries, de gestes et de mimiques. Tout le monde participe à cet échange, les femmes aussi bien que les hommes. Et peut-être, comme ils ne cherchent pas à purifier l'existence sociale de ce qui est physique, les Français ne sont-ils pas dans le même état de contradiction et de frustration que les Américains (je crois que je parle surtout, en l'occurrence, des Américains blancs). En un mot, ils ont tendance à valoriser l'art de la sublimation.

Les Américains, dirait-on – encore une fois, ce sont là les observations humbles et maladroites d'une espèce d'Américaine, expatriée depuis longtemps mais qui vient de repasser quelques mois perplexes « à l'intérieur » – apprennent moins à aimer ou à jouir de leur corps qu'à en prendre soin. En tant que peuple, on dirait qu'ils conçoivent l'existence physique essentiellement en termes de santé, de gymnastique, d'auto-défense, d'autonomie, d'anatomie, et de manuels sur les sept cent quatorze façons possibles d'atteindre l'orgasme. Lorsqu'on sillonne les allées des hypermarchés où ils s'achètent à manger et à boire, on a, en gros, le choix entre des produits ultranaturels (*health food*) et des produits ultra-artificiels (*junk food*) ; le concept de la bonne vieille nourriture, simple, ordinaire et merveilleuse, s'est pour ainsi dire volatilisé. Les Américains sont de plus en plus préoccupés par ce qu'ils mettent dans leur corps : dans aucun autre pays au monde on ne calcule de façon aussi maniaque les calories, les vitamines et le cholestérol dans chaque bouchée que l'on avale ; dans aucun autre pays il n'y a autant d'obésité, autant d'associations et de clubs et d'industries de régimes amaigrissants. Pour ce qui est de l'érotisme, des extrêmes analogues sont représentés par la pornographie violente (on sait que c'est mauvais) et *The Joy of Sex* (c'est pour ton bien). Tout se passe comme si le peuple américain avait besoin que chaque phénomène érotique et gastronomique soit quantifié, verbalisé, décrit et discuté et disséqué dans ses moindres détails.

Par conséquent, ils ont souvent l'air sincèrement (ou naïvement ?) convaincus que toute la dimension esthétique, interactive du corps est inexistante. Prendre en compte cette dimension peut signifier la pudeur autant que l'impudeur, la dissimulation autant que la révélation ; c'est l'exacte contraire du *let it all hang out*. Il y a quelques années, unes de mes jolies étudiantes américaines aux longs cheveux blonds a manqué se faire lyncher au Maroc parce qu'elle avait cru bon d'aller se balader dans les champs, vêtue d'un short très court et d'un débardeur très échancré ; un groupe de paysans arabes l'avait poursuivie en brandissant des fourches. Autant que terrorisée, elle a été totalement *éberluée* par l'agressivité de cette réponse à sa présence. Elle n'avait rien fait que de naturel ! Selon les critères européens, de jolies jeunes Américaines qui se baladent à moitié nues ne sont pas « naturelles », ce sont des allumeuses. Selon les critères nord-africains, ce sont des prostituées sinon des sorcières. Non, je ne suis pas en train de défendre le voile ; je m'émerveille, simplement, de l'insensibilité américaine devant le fait que (et la manière dont) d'autres gens, d'autres peuples, conçoivent et perçoivent le corps.

Certes, le harcèlement sexuel, sur les lieux de travail et ailleurs, existe en France comme ailleurs ; mais ce n'est pas exactement de cela que je parle. Je parle, plutôt, de la manière dont une certaine dose d'érotisme est non seulement tolérée sur la scène sociale française, mais considérée comme partie intégrante de cette scène. Tout comme mes étudiantes américaines d'aujourd'hui, j'étais furieuse et humiliée, lors de mon arrivée à Paris, par les regards, sifflements et remarques salaces des hommes que je croisais dans la rue. Mes premières tentatives pour me promener seule dans les villes de l'Italie du Sud se sont soldées par des crises de larmes hystériques. Mais les femmes qui habitent ces pays savent très bien se débrouiller avec « leurs » hommes. Et les cas de viol sont infiniment plus nombreux aux États-Unis, où l'échange érotique en public – ludique, tacite, intangible – est de plus en plus violemment proscrit. (J'éprouve un malaise chaque fois que je repense à certaine émission de télévision française où, invitée avec six autres écrivaines moins jeunes et moins jolies que moi, j'étais la seule à me plaindre de ces manifestations non sollicitées du désir masculin. Toutes les autres parlaient avec nostalgie des bons vieux temps où elles étaient interpellées par des inconnus... À vrai dire, je n'ai pas compris si elles blâmaient le féminisme pour ce silence soudain des messieurs, ou si elles regrettaient tout simplement leur jeunesse.)

Certes, il y a eu des situations en France où ma beauté m'a fait du tort. Une ou deux fois, j'ai échappé de justesse à des agressions sexuelles dans la rue ; plus qu'une ou deux fois, j'ai été tourmentée par l'idée que l'enthousiasme dont débordait Untel pour mes écrits était destiné, en fait, à mes grands yeux bleus. Cela m'a sans doute rendue un peu nerveuse – et même, sporadiquement, malheureuse. Mais je refuse d'exagérer. Ce sont là des petits drames. Ma beauté ne m'a jamais rendue aussi malheureuse qu'un travailleur à la chaîne, ou qu'un adonné au crack, ou qu'une mère célibataire noire sur le welfare.

J'ai aussi – calmement, naturellement, comme toute belle femme sait le faire – accepté que ma beauté m'apporte de menus faveurs et avantages : service plus rapide dans les restaurants, courtoisie accrue dans les bibliothèques, échanges plus rieurs et moins coûteux avec les policiers... Les occasions ont été littéralement innombrables. Elles ont été, aussi, inévitables : si j'avais voulu les éviter, il aurait fallu que je me déguise en femme laide (comme l'a fait Simone Weil), en portant d'épaisses lunettes noires et des habits disgracieux, ou en me faisant anorexique/boulimique.

Écoutez, j'ai vraiment envie de jouer pour une fois cartes sur table (je n'ai rien à perdre car je suis romancière maintenant et personne ne peut me licencier). Tout être humain sur cette Terre est une combinaison de chair et d'esprit, d'intelligence et de beauté, en des proportions variables, toujours en flux et toujours en interaction, tantôt plus ceci et tantôt plus cela. Mais il est rare qu'une seule et même personne ait fait l'expérience des deux extrêmes, c'est-à-dire, ait été traitée en alternance comme tout-corps et comme tout-esprit. Ayant exercé des métiers aussi follement disparates que masseuse et journaliste féministe, modèle nu et professeur d'anglais, « hôtesse » dans des bars louches et conférencière dans des universités prestigieuses, je suis peut-être mieux placée que la plupart des gens pour me révolter contre la mauvaise foi (car il ne peut s'agir de simple naïveté), si répandue de nos jours aux États-Unis... Mauvaise foi qui fait semblant de croire que nos esprits n'habitent pas des corps, et qu'il est possible de réagir à l'esprit de quelqu'un indépendamment de son corps, et que ce que l'on aime chez l'autre, quand on fait l'amour à son corps, ce n'est pas aussi, en grande partie, son esprit, et que les professeurs peuvent enseigner, et les étudiants étudier, sans que jamais leurs corps ne soient présents dans la salle de classe, et que les patrons et les employés et les cadres et les ouvriers peuvent vaquer à leurs affaires professionnelles, sans que jamais leurs corps ne soient présents au bureau ou à l'usine... et que, de plus, il est loisible à ces corps de jaillir miraculeusement du néant lorsque, dans les ténèbres des chambres à coucher individuelles renfermant deux ou plusieurs adultes consentants, on leur signifie soudain que le feu est passé au *vert*, alors qu'il a été *rouge – rouge – rouge –* dans toutes les autres situations tout au long de la journée.

Ces corps américains n'ont plus le droit de fumer, ils n'ont plus le droit de blaguer, ils n'ont plus le droit de puer ; toutes leurs ambiguïtés captivantes ont été vouées aux gémonies ; on a déclaré la guerre à leurs capacités suggestives ; le flirt a été rendu illégal parce qu'il présuppose l'inégalité (et c'est vrai, ou, plus précisément, le flirt souligne, rend flagrante et du même coup indéniable, l'inégalité *de fait* qui existe entre les êtres plus ou moins beaux, plus ou moins intelligents, plus ou moins drôles)... Oh, mon Dieu ! à tout prix ne reconnaissons pas ces sortes d'inégalité-là, couvrons-nous les yeux, pinçons-nous le nez, bouchons-nous les oreilles devant elles ; les bureaux c'est fait pour travailler et les écoles c'est fait pour s'instruire et les restaurants c'est fait pour manger et les bars c'est fait pour boire et les rues c'est fait pour marcher d'un air décidé du point A jusqu'au point B et aucun de ces endroits n'est un endroit approprié pour le corps, non non non, pour la sensualité, pour les regards coulés en biais, pour la drague, ah ah ah, la drague conduit au viol, les yeux et les paroles d'un homme sur le corps d'une femme constituent déjà un viol en miniature, et toutes les formes d'échange physique entre les corps humains doivent être aussi prévisibles et aussi sûrs et aussi contractuels que la vente d'une maison.

Une fois de plus, tentons d'être clairs et calmes et judicieux. Les individus qui font de bonnes études, qu'ils soient beaux ou laids, marron ou jaunes, grands ou petits, devraient recevoir de bonnes notes ; et les individus qui possèdent les qualifications nécessaires ne devraient pas avoir à se laisser sodomiser par leurs supérieurs hiérarchiques pour obtenir un emploi ou un diplôme ou une promotion. Le rôle de la beauté – et de tout autre trait relevant de l'héritage génétique ou culturel – dans des situations telles que les procès, les élections, les soutenances de thèse, les délibérations de titularisation – devrait être aussi près de zéro que possible. (Ainsi, il est grotesque qu'en Californie, actuellement, l'on discute avec ferveur de la longueur des jupes d'une femme juge : si, dans beaucoup de pays, juges et avocat(e)s revêtent de longues robes noires, c'est précisément pour annuler ou du moins neutraliser les particularités de leur corps.)

Dans la vie publique, en d'autres termes, les institutions démocratiques modernes sont tenues, à juste titre, d'être indifférentes aux traits physiques. À l'autre extrême du spectre il y a l'acte d'amour, où le corps est bien sûr intensément présent. Mais, entre les deux, il y a l'existence sociale : la vie au travail, dans le quartier, à l'école, dans le métro ; un mélange fascinant, miroitant, toujours changeant, de public et de privé, de corporel et de spirituel, de proximité et de distance, de conformité avec les codes et d'invention spontanée. Ce que je suis en train de dire, c'est que ce précieux terrain intermédiaire (dont, bien sûr, la physicalité n'est qu'une facette parmi d'autres) est en train d'être grignoté, aux États-Unis, par une verbalisation délirante et un légalisme loufoque. Et que le risque de provoquer des comportements sexuels nuisibles est exacerbé, plutôt qu'atténué, lorsque la vie sociale est ainsi envahie par des déclarations, élucubrations et impératifs moraux.

Ce que je suis en train de dire (et j'insiste là-dessus, tapant si nécessaire du poing sur la table), ce n'est pas : « Hé, les mecs ! Chasse ouverte toute l'année ! » Toute forme de coercition sexuelle est répugnante. Mais il ne faudrait pas que, sous prétexte de la prévenir, nous perdions toute une vaste et riche dimension de l'existence humaine, à savoir le langage des corps, les mille langages muets des corps, qui varient de pays en pays, de milieu en milieu, de classe sociale en classe sociale… oui, ces langues complexes et mobiles à travers lesquelles, sans mots, sans fin, hommes et femmes s'interrogent et se répondent, bougent, suggèrent, hésitent, se trémoussent, se détournent, pouffent de rire, lèvent un sourcil, allument une cigarette, frôlent une main, une joue, une clavicule, manifestent leur étonnement, leur admiration, leur tendresse, leur désir, leur ravissement, leur défi…

Mais… ah, ah, ah, et alors, mais alors, et si le désir devient agression ? S'il devient manipulation, menace, chantage ? S'il devient contrainte et coups, violence et viol, s'il devient, en somme, l'enfer ? Eh bien eh bien, s'il devient cela, il existe déjà des lois contre cela. Mais s'il ne devient pas cela, alors il relève tout simplement de… la vie. Et la vie est faite (on le sait bien, puisqu'on soupire en disant : « C'est la vie ! ») de hauts et de bas. Quelle est cette manie absurde qui consiste à se précipiter chez un avocat ou un journaliste chaque fois qu'il y a un bas ?

Ce à quoi nous avons droit dans cette existence – même la Constitution américaine le reconnaît –, ce n'est pas le bonheur ; c'est, plutôt, la poursuite du bonheur. Ce qui est une chose très différente. De même, le concept de droits égaux n'implique nullement que nous soyons ou devions être identiques les uns aux autres. Si l'on jouait au poker avec un jeu contenant cinquante-deux quatre de carreaux, imaginez comme les parties seraient palpitantes…

Ma fille est en passe de devenir, elle aussi, une jeune femme belle et intelligente. Cela veut dire que, tout en lui apprenant à ne pas s'en vanter, il va falloir que je lui apprenne à quel traitement elle peut s'attendre de la part du monde, de même que les parents ont toujours préparé leurs enfants aux réactions (positives, négatives) que déclenche le fait d'être Ukrainien, Tasmanien, juif, catholique, nain, blanc, noir, hémophile, rousse, maigre, cagneux, et ainsi de suite (ces traits pouvant bien sûr se combiner de toutes sortes de manières).

Ces facteurs pèseront plus ou moins lourd selon le contexte géographique, historique, politique et social dans lequel l'individu naît et grandit (ce n'est pas la même chose d'être Ukrainien à Edmonton et Ukrainien à Kiev) ; mais tous font partie de la donne du départ. Il n'y a là aucun fatalisme : je ne dis pas que, dès qu'on reçoit son jeu, la partie est pour ainsi dire terminée. Je dis seulement que nous jouons tous, et toujours, en fonction des cartes que nous avons en main : bluffant, trichant, jetant certaines cartes pour en tirer d'autres, cherchant à influencer les autres joueurs, perdant, gagnant... Les philosophies progressistes, libérales, révolutionnaires, existentialistes que nous avons embrassées depuis deux siècles, en Occident, ont eu tendance à nous aveugler sur cette vérité toute bête, universellement reconnue par les romanciers et les enfants : on joue selon sa donne.

1994

Texte écrit et publié d'abord en anglais (« Dealing With What's Dealt »). En français, des versions quelque peu abrégées sont parues dans *Elle Québec*, avril 1995, et dans *Bulletin de Lettre Internationale*, n° 2, mai 1995.

De tous mes textes, *La donne* est celui qui a été le plus largement diffusé dans le monde : traduit dans treize langues dont l'hébreu et le japonais, il a même connu une édition en braille, il a déclenché des polémiques en Italie et en Espagne... Je précise que, dix ans ayant passé, ma fille est maintenant plus belle que moi et que je ne m'en porte pas plus mal.

COUPLES CRÉATEURS

Homme animal homme animal animal instincts colère rage destruction l'homme est le seul animal à être conscient de ses instincts et étant conscient de ses instincts baise baise frénétique reproduction se perpétuer étant conscient de ses instincts ah ah tuer tuer sang enfoncer étant conscient il peut les dévoyer il peut les détourner il peut bang bang bang frapper de la terre moudre dissoudre des plantes en des couleurs pour teindre pour changer la couleur des choses il peut au lieu de ne faire que se reproduire et se protéger et tuer les autres par instinct sublimer tout ça et faire autre chose à la place, au lieu des enfants faire des œuvres ; l'homme a toujours été plus incertain de sa paternité que la femme de sa maternité, d'où mariage d'où bang bang lapidation pour adultère d'où harem d'où reste là enfermée dans la maison occupe-toi des gosses et fais le ménage, l'art existe à force de détournements géniaux et héroïques à force de souffrances à force de torsions et de névroses à force de et bref, l'activité artistique s'entoure d'images de métaphores qui expliquent qui disent clairement de quoi il s'agit là il s'agit de détournement ou sublimation si vous préférez de sublimation génialissime d'élans qui auraient pu donner des bébés ou de la mort voilà au lieu de battre l'ennemi comme plâtre vous battez le plâtre au lieu de jouir d'un corps en chair et en os vous jouissez d'un corps que vous avez imaginé, façonné, caressé dans votre imagination, c'est ça l'art, au lieu de faire des bébés vous faites des tableaux ou des sculptures ou des photos ou des installations et si vous faites aussi des bébés c'est presque incidemment, accidentellement, les hommes artistes ont une tendance plus marquée encore que les hommes normaux à laisser leurs femmes s'occuper des enfants alors si une femme veut sérieusement faire de l'art et ne pas se tuer ou devenir folle, elle optera le plus souvent contre la maternité, en ce sens la femme est encore plus *homme* que l'homme car pour faire une œuvre d'art elle doit s'éloigner davantage encore de l'évidence de ses sens et pour ce faire il est préférable qu'elle ne soit pas mère et ceci pour plusieurs raisons, l'artiste doit se prendre pour Dieu, une femme qui a des enfants a du mal à se prendre pour Dieu, l'artiste doit s'illusionner sur l'immortalité alors qu'une mère connaît de près la mortalité, l'artiste affirme que la chair vient de l'esprit alors que la mère sait que l'esprit vient de la chair.

Tout artiste est obligé d'être égoïste et pour être égoïste une femme doit combattre non seulement son éducation mais également sa *nature*, si si, voulez-vous que je vous fasse un dessin, non, deux dessins plutôt, voici d'abord comment fonctionne la copulation humaine et voici maintenant comment fonctionne l'engendrement humain, à l'aide de ces deux dessins il est facile de voir que la femme est prédisposée par la nature à recevoir l'autre, à permettre à l'autre de pénétrer en elle comme amant ou de pousser en elle comme enfant, pour combattre cette nature altruiste et devenir artistes les femmes choisissent presque toujours de ne pas avoir d'enfants, on les comprend et cela vaut sans doute mieux pour les enfants qu'elles auraient pu avoir et qu'elles n'ont pas eus, elles choisissent d'être recluses ou vaga-bondes, homosexuelles ou chastes peu importe pourvu que cela les protège de leur rôle traditionnel de femme qui minerait et saboterait leurs visées artistiques...

Ne me dites pas que dans l'art il n'y a pas de sexe, pas de différence de sexe, on ne peut pas observer la manière dont cette activité s'est exercée pendant des millénaires, constater les métaphores d'amour-passion et d'enfantement qui l'ont entourée, voir la constance avec laquelle les hommes font allusion à leur fécondité artistique, leurs difficiles gestations et accouchements d'œuvres, comparant les femmes aux pages et les pages aux femmes, insistant sur l'équivalence du stylo et du phallus, de la parole et du sperme, accréditant l'idée que l'art est un inceste détourné, une manière de tripoter le corps maternel, fabriquant des fables dans lesquelles les artistes tuent leur bien-aimée à force de la peindre (*Le portrait ovale*) ou animent leur statue à force de la désirer (*Pygmalion*), et puis, lorsque enfin au XXe siècle plus d'une femme par siècle se met à exercer un métier artistique, répondre à la question : Comment cela se passe-t-il pour les femmes, alors ? par : Ah mais pour les femmes c'est pareil !

Pareil quoi ? *Pareil-pareil* ? Elles aussi joueraient dans l'art avec le corps maternel ? Mais ce corps ressemble à s'y méprendre au leur et s'attaquer à lui revient donc à s'en prendre à elles-mêmes et de fait un nombre impressionnant de femmes artistes détruisent leurs œuvres après les avoir créées... alors ce n'est pas pareil. *Pareil-mais-inversé* ? Pour la femme artiste, l'œuvre serait donc un corps d'homme, désirable et désiré ? Mais elles n'ont pas l'habitude de traiter les hommes en objets, ni de violence ni de désir ni de regard, elles n'ont pas l'habitude de malaxer le corps masculin ni de le maltraiter ni de le maîtriser... alors ce n'est pas pareil, on ne me la fera pas, la création n'est pas subitement devenue une activité unisexe et ça ne le deviendra pas, tant que la procréation ne le sera pas devenue elle aussi. Chose qu'appelle du reste de ses vœux la peintre new-yorkaise Dorothea Tanning : « Je suis contre le système de la procréation, du moins pour les humains. Si j'avais pu organiser la chose, l'homme et la femme auraient eu autant de chances l'un que l'autre d'être enceint. Entre autres, ç'aurait mis fin au viol. »

L'artiste est en général un monstre, c'est bien connu, je ne dis rien là que du très connu, ce n'est pas quelqu'un de gentil et de raisonnable et de poli et de bien proportionné, or ce qui convient *a priori* à un monstre comme partenaire c'est une épouse dans le sens le plus archaïque du terme, c'est-à-dire un être prêt à se sacrifier pour lui, à lui passer tout, à le protéger des atteintes de la réalité, de tout ce qui pourrait le blesser ou perturber sa concentration, à prendre entièrement en charge la vie quotidienne… tout sauf un autre artiste ! Vous pensez bien : deux monstres d'égoïsme, deux êtres infantiles et mégalomanes dans le même ménage… c'est comme deux chats enfermés dans un sac ! Une femme grande artiste est plus monstrueuse encore qu'un homme grand artiste et ça se voit à l'encore-plus-grande marginalité des femmes grandes artistes par rapport à leur sexe et ce n'est pas par hasard : il est infiniment plus difficile à une mère qu'à un père d'être monstrueuse, pour la simple raison que les mères, jusqu'à nouvel ordre, ont la responsabilité morale de leurs enfants et ne peuvent se permettre de vivre sur de tels sommets d'égoïsme.

Chez les couples d'écrivains le déroulement de la vie quotidienne est souvent problématique pour ne pas dire explosif, car il s'agit de répartir les rôles, savoir en gros qui s'occupera d'esprit et qui de matière, qui aura le droit de s'abîmer dans de longues périodes de silence et de solitude pour affronter cette chose invisible et ineffable qu'est le langage, et qui pendant ce temps passera l'aspirateur et préparera la soupe. Chez les plasticiens ces problèmes apparemment s'estompent et on peut en suggérer une raison : il n'y a pas la même opposition entre art et vie quotidienne. Ici, *tout est matière*, corps et corps, effort et effort, sueur et sueur, couteau, couteau, ciseau, pinceau, destruction et transformation et réordonnancement de la matière, la peinture et la sculpture *sont* en quelque sorte de la cuisine et de la décoration ; à les pratiquer on est d'emblée dans la sensualité, dans l'entraînement, l'éducation et la stimulation des sens, les gestes qu'ils requièrent sont les mêmes gestes, souvent dévalorisés par les écrivains éthérés : nettoyage polissage modelage pétrissage plâtre pâte à pain, couleurs de légumes, pigments de pastels... goût, beauté, offrande, don.

Si une femme artiste tombe amoureuse d'un homme artiste il vaut mieux, et de loin, et pour des raisons évidentes, qu'elle ait déjà la certitude inébranlable de sa propre voie créatrice, qu'elle ait autant sinon plus à apprendre *à* l'homme que *de* lui ; ainsi Vieira da Silva et Arpad Szenes, Suzanne Valadon et André Utter, Toyen et Styrsky....

Malaisé en revanche, ah disons-le *impossible* pour une jeune artiste douée de suivre son chemin auprès d'un géant mâle. Pensez aux minotaures et aux centaures de Picasso, pensez aux femmes qui se pâment pleurent et hurlent et s'offrent et s'écartèlent sur ses toiles, et imaginez-vous Françoise Gillot ou Dora Maar en train de dire touche-moi touche-moi Pablo, fais-moi l'amour Pablo... On fait l'amour avec ce corps qui fait des corps qui font l'amour, puis on s'éloigne de sa couche pour retourner à son propre chevalet ou au labo photo... ?

Ou Camille, jeune artiste amoureuse de Rodin, *ce chêne qui a fait le vide autour de lui* selon les mots de Rilke – Camille si jeune, si fougueuse, si incroyablement douée regardez-la elle s'approche du monstre et on a envie de la retenir : Non ! n'y va pas sauve-toi évite cet homme il ne peut te conduire qu'à la catastrophe... Jamais il n'y a eu d'imbrication plus affolante que celle de Camille dans la vie et l'œuvre de Rodin, un temps elle est simultanément son amante son modèle et sa collaboratrice, elle lui donne son corps il malaxe son corps il caresse son corps comme il malaxe et caresse le corps de ses sculptures, Rodin amant et Rodin sculpteur c'est le même c'est l'agissant le caressant le fécondant, mais Camille amante et sculptrice est un être éclaté, elle a plusieurs corps, corps de modèle nu mis à distance objet de regard, corps d'artiste sachant regarder dans l'âme des êtres et travailler le marbre pour qu'il lui ressemble, corps d'amante passionnée transgressive libre corps sans contraception corps fécondé enceint corps avorté enfant avorté membres du bébé potentiel arraché aux entrailles souffrance sang honte culpabilité horreur, où était Auguste pendant l'avortement de son enfant, l'enfant n'était pas dans ses entrailles à lui, voilà la différence, ne me dites pas qu'il n'y a pas de différence, Rodin n'a pas saigné, il a continué pendant ce temps à penser et à créer, et quand Camille s'acharnera plus tard contre ses propres sculptures, quand Camille fracassera, frappera, frappera, détruira la beauté de son propre travail, effectuant ce qu'elle-même qualifiera de sacrifice humain, pulvérisant les corps qu'a engendrés son imaginaire tout comme elle a pulvérisé le petit corps qu'avait engendré son utérus, oui le mot d'utérus est laid, laissons-le, atelier c'est plus beau, laissons-le aussi, ils ne vont pas ensemble, utérus et atelier, voilà, ils ne vont pas ensemble, c'est tout.

Pensez à Unica Zürn ficelée comme un paquet et érotiquement photographiée par son amant artiste Hans Bellmer, que pouvait-elle créer à partir de cette position-là, est-on surpris ensuite de la trouver nature morte sur le trottoir après son suicide par défenestration ?

Peu de cas, tout de même, se terminent de façon aussi tragique que ces deux-là.

Parfois aussi, ça marche.

Ça marche lorsqu'il y a collaboration étroite (Tinguely et Saint-Phalle, par exemple, ou les Poirier, ou les Lalanne).

Ça marche mieux lorsqu'il n'y a pas d'énorme écart d'âge ni de notoriété. Ni, j'ai envie de dire, de sexe. Si l'homme n'est pas trop viril, ni la femme, trop féminine. Ou s'il s'agit de deux hommes (Gilbert et George, Pierre et Gilles), ou de deux hermaphrodites (Éva et Adèle).

Ça a plus de chances de marcher, je le répète, si la fécondité du couple reste symbolique. Sauf erreur, *pas un seul enfant n'est né aux couples d'artistes plasticiens ayant partagé leur vie sur la longue durée* (da Silva/Szenes, Sage/Tanguy, Barbarigo/Music, Bergman/Hartung, Tanning/Ernst, Saint-Phalle/Tinguely, Toyen/Styrsky, Gontcharova/Larionov, etc.)… à *une* exception près : les Delaunay. Oui, Sonia Delaunay a eu *un* enfant (pas deux, pas huit) et s'est beaucoup dévouée pour son fils tout en étant une artiste de renom et une épouse aimante pour Robert son artiste de mari. Françoise Gillot a bien eu deux enfants avec Picasso, et Jacqueline Lamba une petite fille avec André Breton, mais ces femmes sont loin d'avoir égalé l'envergure artistique de leur mari.

Et puis, au fond, tout dépend de ce qu'on veut dire par « marcher ». S'agit-il de réussir son œuvre ou son couple ? Les grands artistes répondront *l'œuvre* sans hésiter. Que la passion entre O'Keefe et Stieglitz ait fini par s'étioler ne change rien au fait que chacun a enrichi pendant vingt ans la vision artistique de l'autre. De même, c'est bouleversé par la mort de son ex-femme Joan Mitchell que Riopelle a exécuté son tableau le plus grandiose.

Et s'il se trouve que certains des artistes se sont épanouis davantage comme conjoints que comme créateurs, qui leur jettera la pierre ?

2003

Préface au catalogue ... *des duos et des couples*, Galerie d'Art du Conseil général des Bouches-du-Rhône, Aix-en-Provence, Actes Sud, 2003.

LETTRE AUX FEMMES AFGHANES

J'écoute en ce moment la voix suave et belle du haute-contre Paul Esswood – voix de femme dans un corps d'homme, et c'est la douceur même, l'allégresse même de la vie qui, par ses paroles évoquant la verdeur d'un pré anglais, entrent chez moi dans la ville de Paris pluvieuse.

Au lieu d'analyser la photographie figée du présent, il faut toujours la mettre en mouvement, remonter en arrière, se demander qui sont ces Talibans, ces hommes si purs et durs et intraitables, d'une virilité hypertrophiée, grotesque ? Ce sont des petits garçons qui ont grandi. Des garçons élevés exclusivement par des femmes, qui sont passés ensuite entre les mains d'hommes, élevés eux aussi par les femmes. Des petits garçons forcés, d'abord par leur mère, ensuite par leur père, à s'endurcir. Quoi qu'en dise Beauvoir, c'est devenir homme – s'arracher à la tendresse, à la douceur, au lien nourrissant à l'autre – qui est astreignant, déformant.

Mes amies vous le savez n'est-ce pas ? les Talibans ne sont ni heureux, ni épanouis, ni bien dans leur peau, leur existence est tout aussi dépourvue de liberté et de dignité que la vôtre. Quand un sexe n'est pas libre, comment l'autre le serait-il ? On s'offusque du long voile que vous devez porter, on pourrait s'offusquer des perruques et jupes larges que doivent porter les femmes juives orthodoxes, il s'agit de la même chose ;

183

que cache-t-on ? Ce dont on a peur. Le corps nu de la femme. Beauté terrifiante, fécondité terrifiante.

Chez nous, on le révèle, ce corps nu. Les Talibans vous l'ont dit, n'est-ce pas ? En Occident, là où la majorité des femmes ont le droit de faire des études et de marcher dans les rues et de choisir leur propre voie dans la vie, une minorité de femmes est exhibée, méprisée et humiliée dans sa nudité ; difficile de ne pas frémir quand on voit l'étendue, chez nous, des dégâts causés par le viol, l'inceste, la prostitution et la pornographie. Celle-ci est même devenue un indice de la « libéralisation » des régimes post-communistes, et de nos jours la traite des Blanches connaît une nouvelle prospérité ; ils ont raison les Talibans, c'est nauséabond, inadmissible.

Qui tient à nous contrôler ? Ceux que nous avons contrôlés. Partout dans le monde, différemment, mais partout, les femmes paient le prix de la haine, la rage, la terreur qu'elles inspirent aux hommes en tant que mères toutes-puissantes. Si elles gardent le monopole du pouvoir sur les enfants, elles élèveront forcément des misogynes. Et si les hommes ne tiennent jamais leurs enfants dans leurs bras, ne les nourrissent pas, ne les soignent pas, ne les consolent pas, ne les aident pas à découvrir le monde avec ses beautés et ses exigences, ils opprimeront les femmes jusqu'à la fin des temps. Or les oppresseurs ne sont pas libres. Ils souffrent. Les Talibans souffrent, je vous le garantis. Ils ont le courage de tuer, mais non celui d'écouter la belle voix féminine de Paul Esswood.

2002

Inf. *Cent lettres pour les femmes afghanes*, recueil dirigé par Amnesty International, Éditions n°1, Quai de Seine, 2002.

IV

LA MAMAN, LA PUTAIN…
ET LE GUERRIER

(1980-1983, revu en 2003)

LA GUERRE, NATURE OU CULTURE

La guerre sera l'affaire des hommes.
HECTOR À ANDROMAQUE, *Iliade*, VI.

Voici l'hypothèse, d'une simplicité... désarmante, que je me propose d'explorer dans les pages qui suivent : *la guerre est un phénomène culturel au même titre que la prostitution, qui essaie de se faire passer pour un phénomène naturel au même titre que la maternité.*

La machine et la bête

Étant donné que les pays les plus avancés du globe sont aussi ceux qui fabriquent les machines de guerre les plus mortifères, il est pour le moins étrange que l'on persiste à dire que la guerre a quelque chose à voir avec les instincts « primitifs » de l'homme. Tout se passe comme si les deux extrêmes (notre passé animal, notre avenir mécanisé) se rejoignaient quelque part dans l'inconscient collectif. Quand le héros du film *La machine à remonter le temps* débarque en l'an 2050 pour explorer l'avenir, il trouve un monde effroyablement mécanisé, propre et ordonné ; les êtres humains s'y meuvent comme des robots ; ce n'est que plus tard qu'il découvre les monstres hideux qui gèrent toute cette activité depuis leur antre souterrain. Dans bon nombre de films de science-fiction plus récents, on trouve le même message ; s'y côtoient la Machine surhumaine et la Bête sous-humaine, les deux également menaçants pour « nous ».

En 1915, devant le spectacle horrifiant de la Première Guerre mondiale, Sigmund Freud se laisse persuader que la guerre « nous dépouille des couches tardives de civilisation et met à nu l'homme primitif en chacun de nous ». Le mot « homme » désigne ici, bien sûr, l'être humain ; Freud ne se demande pas pourquoi ce serait des êtres humains d'un sexe plutôt que de l'autre qui perdraient leurs couches tardives de civilisation en temps de guerre. En cela, ses analyses dans cet article divergent étonnamment peu de celles qui ont cours à la même époque : pour une fois il est dans l'orthodoxie plutôt que dans le paradoxe. Simplement, pour Freud, ces analyses s'appliquent de façon générale à tous les hommes qui font la guerre, tandis que pour la plupart des autres penseurs, la ligne entre civilisation et barbarie passe entre leurs compatriotes et leurs ennemis. En témoigne par exemple ce texte rédigé en 1916 par Jean Richepin de l'Académie française, pour accompagner un livre de dessins sur les atrocités allemandes : « Que les soldats capables de telles atrocités soient des brutes à face humaine [...], qu'ils soient encore pires, ces faux civilisés, oui, pires que les non-civilisés, que leur face humaine soit un masque, dont ils ne devraient pas même avoir le droit de parer leur mufle, voilà ce que votre conscience vous crie. »

Ce concept de « faux civilisés » est assez singulier. Ne faut-il pas être civilisé pour s'aviser de porter le masque de l'être humain ? Une telle idée ne viendrait jamais à l'esprit d'un gorille. Mais si l'on est déjà civilisé, qu'a-t-on besoin de « parer son mufle » ? Or, chaque fois que nos journaux évoquent des viols de guerre, ils emploient des mots comme « bestial » et « sauvage », ce qui a pour effet de nous empêcher d'en comprendre les véritables enjeux et mobiles. Même Susan Brownmiller, dans le chapitre de son livre *Le viol* consacré à la guerre, ressort le même cliché : « La guerre révèle la psyché masculine sous sa forme la plus impudente, dépouillée du vernis de la "chevalerie" ou de la civilisation. »

Si l'on rend visite maintenant aux sex-shops de Pigalle ou aux peep-shows de la Quarante-Deuxième Rue, on n'aura guère besoin de rénover notre vocabulaire. Le thème de la sauvagerie est partout. L'une des figures féminines les plus populaires est la *bitch*, ou « chienne » (encore de l'animalité), souvent incarnée par une femme noire : affublée de porte-jarretelles et de talons aiguilles, brandissant un fouet, elle montre les dents dans un simulacre de férocité. Ici, plus littéralement encore que dans la phrase de Freud, il s'agit de « mettre à nu » l'homme primitif, ou plutôt la femme primitive ; d'arracher ses semblants d'humanité – vêtements, manières, minauderies – afin de la révéler telle qu'elle est « au fond » : pantelante, ruisselante, bestiale. Mais, ici comme pour la guerre, on ne semble pas s'apercevoir que, pour mettre des vêtements susceptibles d'être arrachés, il faut d'abord être humain ; ce qu'on révèle en les arrachant n'est donc en aucun cas la bête. En d'autres termes, dans les deux cas, loin d'être des bêtes qui mimons l'humanité, nous sommes des êtres humains qui mimons la bestialité… *ce qui est tout autre chose.*

Pour être plus nuancé, on pourrait exprimer ce « tout autre chose » de la manière suivante : plus les êtres humains se rendent maîtres de l'amour et de la guerre (c'est-à-dire de leur propre vie et de leur propre mort), plus ils comprennent et contrôlent – à travers la contraception, la médecine, la sexologie, la bombe nucléaire, en un mot la *science* – ces phénomènes qui autrefois semblaient relever du *sacré*, plus ils sont tentés par le « déchaînement des instincts ». Plus ils tendent à devenir des machines, et plus ils ont besoin de se représenter en bêtes. De même qu'en cette époque d'émancipation féminine et d'idéologie égalitariste l'on peut acheter des revues et voir des films qui montrent les pires avilissements des femmes, de même nos armements incomparablement propres et efficaces nous incitent à consommer des Bruce Lee, Spiderman et autres King-Kong. Apparemment, Mars et Vénus sont devenus simultanément plus abstraits et plus concrets… ils ont évolué en même temps vers la Machine et vers la Bête.

La Louve scindée

La Louve incarne à la perfection l'ambiguïté du féminin dans la pensée occidentale. À première vue, elle est maternelle : c'est la fameuse statue à laquelle on a soudé après coup, abouchées à ses tétins, les petites statues de Romulus et de Rémus. Certes la Louve n'était pas la mère génitrice des fondateurs de Rome, seulement leur mère nourricière. Mais le choix de cet animal plutôt qu'un autre pour jouer ce rôle mythologique est riche en implications, parce que le mot *lupa* désignait en latin… la prostituée. Cette association remonte jusqu'aux poètes de l'époque classique et subsiste encore de nos jours dans l'emploi du mot *lupanar*, bordel. Ainsi, dans une seule et même image sont réunies mère et putain, civilisation et barbarie : la Louve *est* la Ville de Rome, en même temps qu'elle est une bête sinistre, sauvage, dangereuse pour les humains.

Progressivement, dans le monde occidental, la Louve a été coupée en deux : il y a eu scission entre les deux aspects de la féminité, séduction et reproduction. Les prostituées ont été reléguées du côté de la barbarie : femmes « bestiales », elles n'étaient à leur place qu'en dehors de la ville, à la lisière de l'habitation humaine, dans les voûtes des remparts.* Même aux époques où la prostitution a pu s'installer en plein centre-ville, les prostituées étaient symboliquement exclues de la société, privées de toutes sortes de droits civiques, économiques et juridiques. À Rome, elles n'avaient aucune des immunités dont jouissaient les autres femmes, et, dès 180 av. J.-C., étaient obligées de livrer leurs noms aux édiles pour obtenir la « licence du stupre » – perdant, du coup, l'administration de leurs biens et le pouvoir d'accepter des héritages ou des donations, ainsi que la tutelle de leurs enfants et l'aptitude à exercer des charges publiques.

Quant aux mères... ce n'est pas qu'elles avaient tellement plus de droits réels, mais au lieu d'être associées à l'animalité et au concret, elles allaient devenir de plus en plus abstraites et finir par être associées à « la » civilisation en tant que telle. C'est ainsi, du moins, que semble s'être élaboré le concept de la *mère-patrie* : même si cette contradiction dans les termes contient l'idée de *pater*, père (et se dit en allemand *Vaterland*, et en anglais indifféremment *motherland* ou *fatherland*), il est remarquable que, dans la quasi-totalité des mythes et des métaphores, les villes, nations et idées pour lesquelles les hommes sont prêts à sacrifier leur vie ont une identité féminine. Le scandale se produit lorsque la mère (re)devient pute, se laissant envahir par des armées ou des idéologies étrangères. La Bible contient de nombreux exemples de cette imagerie : la ville de Jérusalem, en particulier, est vitupérée en tant que prostituée par Jérémie et Ézéchiel parce qu'elle s'est livrée à ses envahisseurs, abandonnant Yahvé aux faux dieux...

---

* Ces voûtes s'appelaient des *fornari*, d'où notre mot « fornication ».

Bien des auteurs ont spéculé sur les origines de la tendance masculine à conceptualiser et à traiter de façon analogue les femmes et les territoires. Du côté de l'éthologie, par exemple, Konrad Lorenz affirme qu'« il est toujours favorable à l'avenir d'une espèce si le plus fort des deux rivaux prend possession ou bien du territoire, ou bien de la femelle convoitée ». (*On Aggression.*) Cette théorie postule à la fois la plus grande mobilité des hommes par rapport aux femmes et leur plus grande capacité fécondatrice : les femmes seraient en quelque sorte clouées à la terre par le poids de leurs grossesses et par les enfants qui leur pendent au sein. (C'est sans doute la raison pour laquelle les idéologies utopistes, et le communisme en premier, ont toujours envisagé à long terme une mise en commun *et* des terres *et* des femmes : répartition plus juste, pourrait-on dire, des moyens de production *et* des moyens de reproduction.)

Du côté de la psychologie, on postule que le lien physique à la femme-mère est le lien le plus irrécusable qui puisse exister entre deux humains ; le plus apte, donc, à symboliser tous les autres rapports d'appartenance et d'engendrement. Alix Strachey affirme que « la terre habitée par [l'homme] et son peuple partage leur être ; elle est une personne. Ainsi, si elle est envahie, il estime qu'elle a été, assez littéralement, violée, comme il penserait à une femme – en l'occurrence *sa* femme, et sa Mère par-dessus le marché, en plus de la partie féminine de lui-même – qui est pénétrée et violée, et il répond avec une rage frénétique. »

Ce fantasme figure explicitement dans les affiches de propagande qui contribuent si puissamment, depuis un siècle, aux récits de guerre occidentaux. La Patrie (ou la région, ou la ville, ou le lieu-dit) est représentée sous les traits d'une belle femme jeune et vulnérable vers qui s'avance un agresseur (l'«ennemi », le « Hun », l'«Ours » soviétique), ostensiblement pour la « pénétrer », la violer. Alternativement, la belle jeune femme peut symboliser la Liberté, l'Honneur, la Démocratie, la Révolution – auquel cas elle est inviolable, et c'est elle qui prend la tête des troupes pour les mener d'un pas sûr à la victoire. Souvent elle est armée (mais là encore, symboliquement, d'une épée ou d'une lance et jamais d'armes contemporaines) ; elle ne porte pas d'uniforme. Si elle a la poitrine découverte (comme dans le célèbre tableau de Delacroix *La Liberté guidant le peuple*), elle n'est jamais provocatrice ; elle a les seins à l'air parce qu'elle est « libre », et elle incite les soldats à la suivre non pour faire l'amour avec elle mais bien plutôt pour « baiser » l'ennemi.

Franco Fornari, dans sa *Psychanalyse de la situation atomique*, affirme que ces « objets d'amour collectif [les idéologies, la mère-patrie, etc.] sont des corps fictifs qui dérivent leur signification vitale du fait qu'ils préservent […] ce qui fut autrefois une présence corporelle réelle et concrète ». Cette présence corporelle, cela va de soi ici comme dans toute théorie psychanalytique, est celle de la mère. Et cependant, dans son introduction, Fornari avait choisi une autre image pour décrire la situation guerrière archétypale ; il s'agissait de l'histoire du « monstre prêt à dévorer la vierge, et de saint Georges, chevalier sans peur qui tua l'un et épousa l'autre. Nous aimerions tous continuer à vivre en nous racontant ces histoires, poursuit l'auteur, mais les romans de chevalerie ne sont plus de bon ton à l'âge de la bombe atomique : l'arme avec laquelle le chevalier se propose de tuer le monstre devient elle-même le monstre qui tue la vierge au lieu de la sauver ».

Dans ce passage, ce n'est pas la mère mais la vierge qui représente l'enjeu de la lutte entre deux mâles. Et si cette incohérence n'en était pas une ? Si la chose pour laquelle les hommes se battent était cet oxymoron par excellence qu'est la *mère vierge* ?...Vierge comme Athéna, mère malgré elle du premier Athénien... Vierge comme Jérusalem avant sa prostitution aux Égyptiens... et comme la mère d'un si grand nombre de héros guerriers ? et comme celle du Christ ? Ah ! indépassable, Marie, n'étant pas la reine vierge de tel ou tel pays mais celle du Ciel lui-même...

On peut idéaliser le féminin, ou féminiser l'idéal ; chez les hommes qui se battent, ces deux procédés produisent à peu de chose près les mêmes effets, et jouent un rôle fondamental dans la « fraternité d'armes » si essentielle aux entreprises militaires. Si, comme cela a été le cas en Occident jusqu'à une date récente, les seuls hommes sont propriétaires et ont un « droit de jouissance » (individuellement des femmes, et collectivement des terres), il s'ensuit logiquement qu'eux seuls se feront fort de protéger « leurs » femmes et « leurs » terres. Du coup, chaque femme aura besoin d'un homme pour la protéger contre d'autres hommes, tout comme chaque nation a besoin d'une armée pour la protéger contre d'autres armées. À l'amour comme à la guerre...

Guerriers et putains : ressemblances

Mars et Vénus. L'homme-qui-tue ; la femme-qui-baise. C'est sous leurs auspices, selon d'innombrables lieux communs, que se déchaînent les passions à l'état brut, enfin libérées des tabous qui pèsent sur elles en temps normal. Mais il est remarquable que ce qui apparaît comme comportement instinctif typique des femmes soit le désir, et des hommes, le meurtre. Ainsi les deux grandes pulsions freudiennes – pulsion sexuelle, pulsion de mort – seraient commodément réparties selon les sexes ?

Mars et Vénus. Ce sont aussi les deux figures omniprésentes à l'affiche des cinémas et sur les couvertures des romans de gare. Dans ces images, même si l'on répugne à employer des termes comme symbole phallique, il est évident que l'arme de l'homme est l'emblème de sa puissance et de sa virilité. Et la femme ? Serait-elle en quelque sorte elle-même une arme, dans la mesure où c'est son corps qui représente sa puissance spécifique ; et, plus il est dénudé, plus il est perçu comme agressif ?

Mars et Vénus. Dans la guerre comme dans la prostitution, l'anonymat ou le pseudonymat sont souvent de rigueur : aux soldats on donne un numéro (et à la Légion, un nouveau nom et prénom) ; quant aux femmes qui « se défendent », elles adoptent presque toujours un « nom de guerre ».

Mars et Vénus. La ressemblance la plus troublante entre les protagonistes des deux grands drames humains, c'est le peu de contrôle qu'ils exercent sur leur destin. Ils jouent en fait des rôles extrêmement contraignants et bien peu romantiques : rôles qui impliquent, au mieux, l'ennui et la répétition ; au pire, la peur, la maladie, la mort. En ce sens, on peut estimer que l'armée exploite le corps des hommes exactement comme la prostitution exploite celui des femmes... Dans les deux cas, ce sont des corps jeunes et sains qui sont requis : il est rare qu'un homme se batte ou qu'une femme fasse l'amour professionnellement jusqu'à l'âge de la retraite ; il y a un besoin constant de renouveler le stock de jeunes hommes forts, au sommet de leur virilité, et de jeunes femmes belles, au sommet de leur charme.

Mille métaphores rapprochent ces « mercenaires ». C'est, par exemple, dans le film *Morocco*, l'ex-putain jouée par Marlène Dietrich expliquant au légionnaire Gary Cooper qu'il existe une Légion pour les femmes aussi, mais « une Légion sans drapeaux, sans médailles et sans gloire ». C'est le lieu commun de naguère selon lequel, dans une période de crise économique et de chômage, le dernier recours des jeunes garçons est de s'engager dans l'armée, tandis que les jeunes filles sont acculées au bordel. C'est, plus brutalement, la juxtaposition de ces deux perles de la sagesse populaire : « Ah ! il leur faudrait une bonne guerre pour les calmer ! » (à propos des jeunes hommes par trop turbulents), et « Ce sont des mal-baisées ! » (à propos des jeunes femmes pas assez soumises). En d'autres termes, un peu de souffrance leur ferait du bien, aux uns et aux autres.

Pour le reste de la société, le guerrier et la prostituée sont effectivement les incarnations d'une certaine souffrance : ils ont la réputation de mener une vie dure et d'être fiers de leur endurcissement, tant physique qu'affectif. Ce sont des stoïques : leur exploit consiste à vivre dans une promiscuité constante avec la jouissance ou la mort, sans rien ressentir. L'un et l'autre revêtent une « armure » pour se protéger des sensations que provoquerait, sans cela, l'exécution de leur devoir respectif. La tenancière de bordel Nell Kimball écrit dans ses mémoires qu'elle portait dans son esprit « une sorte de costume blindé en étain comme celui du roi Arthur [...], tout en chemises de fer avec des mailles sur les jambes. Pour moi, ce costume était fait d'orgueil : l'orgueil de ne rien laisser apparaître du vrai moi. Évidemment je ne savais pas ce que c'était, le vrai moi, mais je le protégeais quand même. »

Ils ont des cicatrices et ils les exhibent ; ils valorisent le *masque* : les prostituées sont censées être barbouillées d'un maquillage aussi épais qu'extravagant, mais « faire le masque » a un sens précis dans la Légion aussi : c'est l'arrangement du visage – yeux fixes, mâchoires serrées à bloc – dont on dit que, bien maîtrisé, il suffit pour faire tomber, au choix, les ennemis et les filles. (Adam) De même, le tatouage est une pratique courante chez les uns et les autres : là encore, comme preuve d'insensibilité à la douleur ; la peau des soldats porte le nom de la fiancée qui les attend, tandis que les prostituées inscrivent en encre indélébile l'amour éternel qu'elles vouent à leur maquereau.

Masques, tatouages, cicatrices constituent une sorte de cuirasse protectrice destinée à parer les coups. Mais même ce verbe de « parer » est ambigu, à la fois transitif et intransitif ; car *se* parer est aussi bien un trait caractéristique des guerriers et des prostituées : ils sont par excellence dans la *parure*. Les sociobiologistes aiment à souligner que, chez les êtres humains comme chez d'autres espèces animales, les couleurs criardes connotent à la fois l'amour et l'agression, et il est vrai que nulle part autant que dans l'armée les hommes ne portent une attention si intense à leur apparence. Que ce soit par le moyen des chaussures reluisantes de la recrue, des médailles et des galons de l'officier, ou des plumes brillantes et du visage peinturluré de l'Indien d'Amérique, le guerrier se pare pour tuer avec le même soin que les femmes se parent pour séduire. Et la *parade* militaire ne ressemble-t-elle pas étrangement à un défilé de mode ? Les « grandes manœuvres » ne se déroulent-elles pas avec la même précision que la chorégraphie d'un spectacle aux Folies-Bergère ? Ces mises en scène subsisteraient-elles en tant qu'*étalage symbolique de la force propre à chaque sexe* ? Quoi qu'il en soit, tous ces traits de l'apparence servent à la fois à distinguer ces deux groupes du reste de la population et à les rendre semblables entre eux.

Bien sûr, la langue ne peut qu'être complice de cette imbrication conceptuelle entre l'amour et la guerre, la reflétant en même temps qu'elle la perpétue. Par exemple, « danser les matacins » signifiait, au XIXᵉ siècle, faire l'amour. Selon le dictionnaire de L'Aulnaye, les *matacins* étaient une danse armée du XVIᵉ siècle, dont le nom dérivait probablement de *mater,* tuer. *Fleureter,* faire de l'escrime (avec une sorte d'épée appelée *fleuret*), ne se distingue pas à l'audition de *flirter* (conter *fleurette,* ou propos amoureux). *Entrer en lice,* c'est pénétrer dans un champ de bataille, mais le mot *lice* a signifié aussi : prostituée, sexe de la femme. Ainsi, « présenter la lice » voulait dire, pour une femme, se dénuder devant un homme afin de l'inviter à l'amour. *Ribaude* (d'où l'anglais *bawd,* maquerelle) est un autre terme d'argot pour désigner la prostituée, ou en général « toute personne de mœurs déréglées », mais à certaines époques *Ribaud* a désigné une sorte de soldat, ou portefaix. Enfin – et c'est le cas le plus exemplaire – il existe un autre mot qui a désigné en français d'abord les soldats et ensuite les prostituées. Ce mot est *grivois,* dérivé de « grive », terme d'argot pour la guerre. Il a disparu en tant que substantif mais subsiste en tant qu'adjectif : est grivois, selon le dictionnaire, ce qui est d'une gaieté un peu trop hardie. Du reste, n'a-t-on pas l'habitude d'entendre dire que les prostituées, tout comme les soldats, ont un vocabulaire par trop débridé ? Puisque la transgression des lois sociales leur est autorisée, il sont presque obligés de bafouer aussi la bienséance verbale.

Mais n'est-il pas normal que la prostituée et le soldat se confondent dans le lexique populaire, étant donné qu'ils se trouvent si souvent aux mêmes endroits au même moment ? C'est certain. Et c'est ainsi que se fait la transition de la comparaison à la contiguïté ; de la métaphore à la métonymie.

Guerriers et putains : contiguïtés

Combien de fois a-t-on lu que Mars ne se déplace jamais sans Vénus ? Combien de tableaux a-t-on vus dans lesquels les deux sont dépeints côte à côte, les parures flottantes de la déesse de l'amour emmêlées à l'épée délaissée par le dieu de la guerre ? En effet, Mars et Vénus *s'aiment* ! Mais il ne faut pas oublier que leur amour est un amour illicite et adultère ; Vulcain, le mari légitime de Vénus, est fou de rage quand il découvre sa liaison avec Mars. Et comment réagit-il ? En entourant d'abord leur lit d'un filet invisible, dont il resserre les liens quand les amants s'y trouvent enlacés ; en appelant ensuite tous les autres dieux pour se moquer de l'embarras du couple ainsi surpris.

L'amour transgressif entre guerriers et prostituées ne s'est jamais dépêtré des liens de Vulcain. Depuis des temps immémoriaux, des femmes belles ont été utilisées, mythiquement et réellement, pour apaiser la fureur des hommes belliqueux.

Les convois massifs de prostituées à la suite des armées dateraient de l'époque des Croisades. Avant, semblerait-il, la famille des guerriers les accompagnait souvent dans leurs expéditions, chose impossible quand la guerre doit se dérouler à plusieurs milliers de kilomètres du pays d'origine. Au début, les femmes à soldats se déguisaient en hommes pour passer inaperçues, car elles étaient mal vues par la hiérarchie militaire. Les auteurs des livres sur l'histoire de la prostitution racontent sur un ton narquois les différentes punitions que l'on fit subir à ces filles, à coups d'ordonnances royales, pour les décourager. On leur coupait le nez ou les oreilles, on les fouettait, on s'efforçait de les chasser, mais rien n'y fit ; elles s'obstinaient, et les pauvres hommes par elles assiégés ont dû s'en faire une raison. Ce qu'ils firent : tant et si bien qu'ils se mirent même à inscrire ces troupes parallèles officieusement, à leur attribuer des drapeaux autour desquels se rallier, à les organiser en bataillons selon le rang des hommes auxquels elles étaient destinées, et à nommer spécialement un chef à leur intention : celui-ci s'appelait *rex ribaldorum*, le « roi des ribauds ». (Schreiber)

Quand Jeanne d'Arc (autre femme travestie en homme, mais pour des raisons plus nobles) fit son entrée sur la scène de l'Histoire, elle fut ahurie de voir la dégénération de la morale des troupes causée par ces sangsues sexuelles. Les soldats n'avaient plus la force de se battre ! Et la Pucelle de dégainer et d'assener sur le dos des mauvaises femmes de formidables coups de son épée, jusqu'à ce que la lame s'en rompe. Toujours furieuse, elle somma Charles VII d'émettre une ordonnance pour exiger le renvoi des prostituées, mais il n'y put grand-chose : les officiers de l'armée française s'étaient tant attachés à leurs persécutrices qu'ils les cachèrent pour les protéger... (Lacroix)

Les choses continuent ainsi, cahin-caha, jusqu'à la fin du xve siècle. Puis c'est la fulguration. La foudre divine. La juste punition des amours illicites de Mars et de Vénus : en définitive, si la maladie vénérienne n'avait pas existé, il eût fallu l'inventer. Impossible d'imaginer meilleure preuve du Mal que représentent ces frottements entre l'amour et la guerre : il provoque la maladie ! Et c'est une maladie horrible, donc parfaite : la syphilis. Purulente, contagieuse et très souvent mortelle. Son apparition en Europe est associée, du moins fantasmatiquement, à la découverte du Nouveau Monde : on dit qu'elle fut rapportée des Caraïbes lors des premières conquêtes coloniales ; elle deviendra, sous la plume de certains auteurs, « le poison des Antilles ». (Burges)

Cela commence à devenir sérieux, cette histoire. Pour défendre leurs défenseurs, les autorités prennent des mesures radicales. On interdit aux prostituées de monter à cheval. On les jette par centaines dans les fleuves. On les fait courir, poitrine dénudée, entre deux rangées de soldats qui les cinglent avec des baguettes. Peine perdue. On tente même, à tout hasard, d'en détourner les hommes : par exemple, on impose à tout soldat qui aura été traité trois fois pour une maladie vénérienne de servir deux ans au-delà du terme de son engagement. Ça ne marche pas.

Lors de la Révolution française, on estime que la syphilis met hors service dix fois plus d'hommes que le feu ennemi (ceci selon le mathématicien Carnot, mais il a pu se tromper dans ses calculs). Au cours du XIXe siècle, on s'aperçoit que, tant qu'à faire, on peut *se servir* de cette arme tellement plus efficace que les autres, et en 1870 on exhorte les prostituées à faire leur devoir patriotique en infectant massivement l'envahisseur allemand. (Sicot) L'Angleterre pendant ce temps, en pleine époque victorienne, déchirée comme d'habitude entre ses principes pudibonds et les réalités vicieuses qu'ils engendrent, fait passer les *Contagious Diseases Acts*. Ces lois rendent obligatoires, d'une part, le fichage des prostituées qui fréquentent les militaires, et, d'autre part, l'enfermement dans un hôpital gouvernemental des femmes infectées. (Carter) On se soucie peu, naturellement, de la souffrance des femmes syphilitiques. Ce qui est insupportable, c'est de voir le Pire en train de tuer le Meilleur ; c'était d'assister à l'écroulement du symbole même de la force nationale, rongée de plus en plus par la pourriture.

La grande innovation de la Première Guerre mondiale, en dehors des tranchées (mais à peine), c'est le bordel mobile de campagne, ou BMC, qui permet de surveiller plus rigoureusement la santé génitale des pauvres combattants. Les prix varient selon qu'on est officier ou simple soldat. Certaines recrues, préférant prendre des risques, vont jusqu'à contracter la gonorrhée exprès – en achetant, au besoin, un peu de pus – afin de se soustraire au service militaire. (Hirschfeld) De plus en plus sordide…

Nous entrons maintenant dans l'ère des statistiques (mais, même là, il est difficile de faire la part de vérité en cette matière si inflammable ; bien des auteurs y versent sans doute l'essence de leur propre imagination)… La France aurait compté, à cette époque, plus d'un million de syphilitiques. Les maladies vénériennes auraient fait perdre l'équivalent de sept millions de journées de travail à l'armée américaine pendant la durée de la guerre. En 1915 à Kiev, la *moitié* des filles de quinze ans auraient été infectées. Ainsi de suite…

Les Russes, dans leur excès de zèle révolutionnaire, font tant d'efforts pour éliminer la prostitution qu'en 1938, dit-on, à la veille de la Seconde Guerre mondiale, l'Armée rouge est propre et reluisante. Par contraste, une brochure éditée à Washington en 1942 nous informe que, sur le premier million de GIs appelés, soixante mille doivent être rejetés pour cause de maladie vénérienne. À la fin de la guerre, l'armée américaine en est à une consommation mensuelle de cinquante mille capotes, et le gouvernement à une dépense annuelle de quarante et un millions de dollars pour soigner les fous et les aveugles syphilitiques. (Broughton)

Hitler, quant à lui, s'efforcera d'être ferme sur ce point. La population allemande, commente-t-il dans *Mein Kampf*, se contamine de plus en plus et notre vie sexuelle ne cesse d'empester. Combattre la syphilis est un des premiers devoirs de la nation et cette lutte postule les mesures les plus draconiennes contre la prostitution qui est un défi à l'humanité. Mais les maisons de tolérance, supprimées par une loi de 1927, doivent être rouvertes en 1939-1940. Toutefois, Hitler fait assurer leur surveillance médicale sur tout le territoire du Reich, et justifie leur existence en tant que moindre mal, pour les « hommes frustrés », que l'homosexualité (qui, elle, est un crime passible de mort). À la fin de l'année 1943, on crée en outre, pour la protection du sang allemand, une soixantaine de bordels réservés aux travailleurs immigrés. (Bleuel)

Pendant ce temps, les grandes puissances coloniales veillent au petit bonheur de leurs fils loin de la métropole. Pour les Anglais aux Indes, une ordonnance stipule que les « bazars » réglementaires doivent « abriter un nombre suffisant de femmes ». Aux Philippines, où le phénomène prétendument universel de la prostitution était inconnu avant l'occupation américaine, on organise rapidement un système de fichage dans l'intérêt des GIs : les jeune filles indigènes destinées à les « réconforter » doivent être munies d'une carte d'identité comportant leur photographie ainsi que la signature d'un médecin militaire. Et en Algérie, même après la loi Marthe Richard en 1946, les bordels continuent de fonctionner sous prétexte que « la présence de l'armée [française], jointe au tempérament nord-africain, ne permettent absolument pas d'appliquer les nouveaux textes ». (Lacroix)

Les images des Vietnamiennes mises au service des « boys » américains dans les bars de Saigon restent imprimées dans nos mémoires… Ce qui a changé, bien sûr, entre la Seconde Guerre mondiale et la guerre du Viêt-Nam, c'est que les risques de ce genre de liaison ont diminué grâce à la découverte de la pénicilline. De nos jours, Mars et Vénus peuvent de nouveau se fréquenter sans redouter d'en mourir. Les bordels militaires de campagne conduisent des affaires florissantes auprès de la Légion française ; les permissionnaires de l'armée régulière ont le cœur tranquille quand ils font leur escapade rituelle à Pigalle. Personne ne s'en indigne… Et la maladie vénérienne, comme douée d'une intelligence autonome, s'est déplacée vers d'autres secteurs stigmatisés de la population, notamment les homosexuels.

Ayant suivi ces deux fils, métaphorique et métonymique, du filet de Vulcain qui enserre nos deux héros, je n'ai toujours pas fini de démêler les rapports complexes qu'ils entretiennent. Il est tentant – mais trompeur – de décrire leur association comme une chose qui découle « naturellement » de la situation militaire. Tout comme les vœux religieux, les règles de l'armée interviennent dans la vie des hommes *à la fois* pour les couper de leur sexualité et pour les y enfoncer. Les soldats sont loin de leurs épouses et fiancées, ils ont besoin de faire l'amour, donc ils fréquentent des prostituées : telle est l'interprétation communément reçue des faits, et celle proposée, de manière explicite ou non, par la plupart des historiens en la matière. Or il me semble qu'au contraire on doit considérer la guerre comme une chose qui *stimule* les hommes (et peut-être les femmes aussi) d'une façon particulière, de sorte qu'une activité sexuelle antisociale en est une conséquence nécessaire et non pas contingente.

À cet égard, je fais un peu plus confiance aux témoignages des très rares femmes qui ont écrit sur la question. Par exemple la maquerelle citée plus haut, Nell Kimball, qui dirigeait un célèbre bordel à La Nouvelle-Orléans pendant les années trente, et qui insiste à de nombreuses reprises dans son autobiographie sur le caractère aphrodisiaque de l'*idée de la guerre* : « Quand l'amiral Dewey prit Manille, nous n'avons pas fermé les portes pendant trois jours et trois nuits. Les putes furent coulées plus souvent que les navires japonais » ; « L'idée de guerre et de mort fait bander les hommes ; ils veulent en voir le plus possible » ; « La guerre transforme toujours la sexualité en une sorte de maladie ; elle peut même déclencher toute une épidémie de viols ». Ou Polly Adler, autre « taulière » de renom mais à New York, qui fait le même constat à propos de la Seconde Guerre mondiale : « Inutile de préciser que mes affaires étaient florissantes. Plus l'époque est au désespoir et plus les hommes recherchent la grande évasion que procurent les satisfactions sexuelles ».

S'agirait-il là d'un instinct de survie, d'un atavisme qui pousse l'espèce à se reproduire au moment même où elle se sent menacée d'extinction ? Ce n'est pas impossible, mais à ce moment-là il faudrait expliquer pourquoi la solution choisie est celle de l'amour illicite : pourquoi les hommes abandonnent subitement leur obsession de la lignée et se mettent à engendrer des fils de pute. (Je pense aux milliers de bâtards laissés par les Américains au Viêt-Nam ; aux centaines de milliers d'humains vivant aujourd'hui qui sont les rejetons d'un viol de guerre.) Il ne faut pas oublier, en effet, que les amours de Mars et de Vénus sont *fécondes*. Dans certaines légendes, au lieu de Cupidon, ils engendrent deux garçons qui ont pour nom la Peur (Phobus, Deimus), mais aussi une fille qui s'appelle... Harmonia.

Vénus est à la fois une mère et une séductrice. Bien que la grande majorité des prostituées aient toujours été mères *aussi*, ce fait a été massivement nié : d'abord sur le plan fantasmatique (parce que maternité et érotisme sont censés être antinomiques), et ensuite sur le plan légal. Les enfants dits « naturels » brouillaient les pistes de la filiation ; étant « sans père », ils étaient privés de leurs droits d'héritage et considérés comme des non-citoyens. Dans un monde patriarcal, les femmes sont si peu susceptibles de devenir des ancêtres que, selon certains systèmes de droit, même l'inceste n'était pas considéré comme un crime si la victime était une prostituée : de toute façon, elle s'était déjà retranchée de son arbre généalogique.

Par contraste, la filiation des guerriers est de la plus haute importance. Les héros de l'*Iliade* peuvent remonter le cours de leur sang noble à travers plusieurs générations de pères. Même de nos jours, la mort d'un guerrier est par définition héroïque – consacrée par des monuments, des médailles et des milliers de mots – tandis que la mort d'une prostituée est un non-événement, tout juste digne de décorer la une des journaux à sensation.

Malgré cela, la ressemblance la plus forte et la plus insondable entre les deux « mercenaires » a bel et bien à voir avec la mort : ce sont des êtres éminemment *tuables*. Ce n'est pas tel ou tel d'entre eux qui doit mourir, c'est justement n'importe lequel, par la seule vertu de son appartenance à son sexe.

Guerriers et mamans : incompatibilités

Comme la guerre, la chasse du gros gibier est une activité pour ainsi dire exclusivement virile, qui jouit pour cette raison d'un prestige incommensurable et s'entoure d'une quantité faramineuse de matériel mythique et rituel – matériel qui contribue à son tour, bien sûr, à rehausser son prestige. La chasse telle que les êtres humains la pratiquent a peu de chose à voir avec la rapacité entre les différentes espèces animales ; elle n'est pas une activité purement économique destinée à remplir les ventres ; des lois régissent la mise à mort et la consommation des animaux par les humains (chose évidemment inouïe en règne animal) ; or ces lois relèvent d'un *sacré* dont les femmes sont systématiquement écartées. Quelle que puisse être la discontinuité entre la chasse et la guerre, il est significatif que les femmes aient été exclues de l'un et l'autre de ces domaines entourés de mystère sacrificiel. Dans la mythologie comme dans l'Histoire existent des images de femmes chasseresses (Artémis/Diane ; Alecto ou Camille dans *l'Énéide* ; les Walkyries) ; jamais elles ne sont mères. *C'est l'acte même de donner la vie qui est considéré comme foncièrement incompatible avec celui de donner la mort.*

Que ce soit en tant que *mères* que les femmes sont exclues du meurtre ressort clairement du fait que, vierges, elles ne le sont pas. Bien sûr, il faut s'interroger sur le statut de ce « fait » : est-ce la vérité, ou bien une histoire que l'on raconte ? Il remonte en tous les cas aux débuts de l'Histoire elle-même : Hérodote, le premier historien, prétend que chez les Auses en Libye, « lors d'une fête annuelle en l'honneur d'Athéna, les jeunes filles, partagées en deux camps, combattent les unes contre les autres à coups de pierres et de bâtons », et que « les Auses se servent de cet affrontement pour démasquer celles qui sont complètement femmes et trahissent leur qualité de "fausses vierges" en succombant à leurs blessures ». De même dans les *Nibelungen,* voici ce qui se passe quand le mari de Brunehilde réussit enfin à la déflorer : « Il prit avec elle son plaisir d'amour, comme il se devait. Elle dut alors se résigner à oublier sa colère et sa réserve pudique. Les privautés de Gunther la rendirent toute pâle. Ah ! combien de sa vigueur lui fit perdre l'amour ! Dès lors elle ne fut pas plus vigoureuse qu'une autre femme. »

L'affaiblissement qu'entraîne le contact avec le corps masculin provient de la métaphore qui assimile le pénis à une arme violente et fait du corps féminin défloré une chose irrémédiablement vulnérable. La virginité est perçue comme une sorte de cuirasse généralisée, et l'Hymen comme un bouclier destiné à protéger à la fois le corps et l'âme de chaque jeune fille. Une fois l'hymen percé – une fois la fille devenue « complètement femme », une fois infligée la blessure paradigmatique, toutes les autres blessures deviennent possibles, voire justifiables. (Les saintes martyrisées, elles aussi, sont vierges et c'est ce qui les rend invincibles, héroïques. Elles ont beau être fustigées, écartelées, inondées d'huile bouillante ; toutes les tortures sont impuissantes contre leur pureté, du moins le temps qu'il faut pour faire la démonstration de celle-ci, auquel moment la martyre a droit à la béatification, à la canonisation… et à la mort.)

Ce n'est pas un hasard si la déesse guerrière en l'honneur de qui se déroulent les combats féminins décrits par Hérodote est elle-même une vierge : rien de maternel chez Athéna, ni dans l'ascendance ni dans la descendance. Les déesses guerrières comme les chasseresses sont invariablement pucelles.

Ce rapport d'exclusivité réciproque entre la guerre (ou la chasse) et la maternité est sans doute en grande partie mythique. Les hommes ont inventé le personnage de la vierge guerrière et élaboré autour d'elle une sorte de « monde à l'envers » : comme si, écrit Jeannie

Carlier-Détienne, ils voulaient « mettre en garde tant eux-mêmes que leurs dociles compagnes contre tout commencement de rébellion contre l'ordre mâle. Comme si dire l'envers de cet ordre, c'était en garantir plus sûrement la pérennité ». Mais les mythes ne sont pas de simples bibelots, des objets passifs que l'on peut choisir de contempler ou non pour son plaisir. Ils sont aussi de puissants agents, infléchissant le comportement des êtres qui les entendent et les transmettent. Ainsi, même s'il n'a aucune justification physiologique qui soit complètement convaincante, ce rapport mythique peut très bien être *réalisé*, au sens fort du terme, de sorte qu'on trouvera de nombreux cas réels qui auront l'air de le « confirmer ». Par exemple ces « dames guerrières » qui étaient « un élément redoutable de l'ancienne armée de Dahomey [...]. Il y avait un corps d'élite de guerrières vierges, dont la virginité [...] était sauvegardée par la menace d'une mort horrible en cas de dérogation morale ». (Veale) Ou bien : chez les Ojibwa d'Amérique du Nord, il arrive que les femmes participent à la chasse, mais seulement quand elles ne sont pas mariées. (Tabet) Ou encore : la plus glorieuse guerrière de l'histoire française avait pour surnom… la Pucelle. Et de nos jours – nouvelle « corroboration » de l'efficacité du mythe – dans l'égalitariste armée israélienne, tout comme dans le projet de conscription féminine actuellement à l'étude en Grèce, sont automatiquement exemptées les femmes ayant des enfants.

L'idée que la perte de la virginité rend vulnérable, ou que la maternité prive les femmes de leur capacité combative, constitue une nouvelle preuve du caractère spécifiquement humain de la guerre. Chez les animaux, rien n'est plus féroce qu'une mère : il suffit de songer à la combativité proverbiale de l'ourse ou de la lionne dont les petits sont menacés. Certes, c'est en partie pour garantir la survie de leur patrimoine génétique (et la survie du groupe) que les hommes ont écarté des activités à haut risque les femmes enceintes, allaitantes, encombrées de petits... Mais, partant, ils ont érigé ces activités en *prérogatives sacrées* de l'homme : prérogatives qu'ils pouvaient partager avec les femmes dans l'imaginaire (ou très provisoirement dans le réel), mais seulement dans la mesure où elles n'étaient pas encore, ou plus, « complètement femmes », c'est-à-dire mères. L'exclusion des femmes de la chasse et de la guerre va de pair avec leur exclusion du sacré en général, et cette dernière exclusion s'intensifie autour de chaque manifestation de la maternité, virtuelle ou réelle : elle est absolue pour les femmes réglées ou enceintes, comme pour celles qui allaitent. Quand il arrive que des femmes participent au sacré, leur chasteté exige soit de renoncer à la maternité, soit de la dépasser : vierges, elles ont le droit de porter le Graal, ou de devenir bonnes sœurs ; chez les Celtes de devenir magiciennes ou prophétesses ; chez les Aztèques d'être sacrifiées à la divinité solaire ; veuves, elles récupèrent souvent des dons magiques ; mais, mères, elles ont le nez plongé dans l'ignominie de la nature et ne doivent en aucun cas le lever sur le monde spirituel.

Guerriers et mamans : équivalences

Dans son introduction à *Problèmes de la guerre en Grèce ancienne*, Jean-Pierre Vernant formule en termes clairs le parallèle entre guerre et maternité : « Si les rites de passage signifient pour les garçons l'accès à la condition du guerrier, écrit-il, pour les filles associées à eux dans ces mêmes rites et souvent soumises elles-mêmes à une période de réclusion, les épreuves initiatiques ont la

210

valeur d'une préparation à l'union conjugale. Sur ce plan encore s'accusent le lien et tout à la fois la polarité entre les différents types d'institutions. Le mariage est à la fille ce qu'est la guerre au garçon : pour tous deux, ils marquent l'accomplissement de leur nature respective, au sortir d'un état où chacun participe encore de l'autre. »

Aux garçons on dit : l'armée fera de vous un homme ; et aux filles : le mariage fera de vous une femme. Naturellement, ce n'est pas la cérémonie du mariage elle-même qui infléchit si radicalement l'itinéraire d'une jeune fille, mais ce que le mariage implique, ce pour quoi il existe en tant qu'institution, à savoir la reproduction de l'espèce – et plus précisément, pour la fille comme individu, l'accouchement. En effet, le rapprochement entre combat et couches chez les Grecs est plus saisissant encore que celui entre guerre et mariage ; il est non seulement rituel mais lexical aussi : un même vocabulaire imprègne l'un et l'autre événement. Selon Nicole Loraux, *luchos* signifie d'une part « l'endroit où l'on se couche » et d'autre part c'est « le nom de l'embuscade, puis de la troupe armée » ; *ponos* est « l'un des mots qui désignent la douleur de l'accouchement » et c'est aussi « le nom du long effort, de la peine ; celle des guerriers achéens de l'*Iliade*, engagés dans une interminable besogne de guerre ; celle de l'homme héroïque » ; *teiroménè* est « la femme en couches et de même, dompté par la douleur, l'homme que les chevaux d'Agamemnon emportent vers les nefs creuses n'est plus qu'un roi brisé (*teiroménon basilèa*) ».

Par ailleurs, quand ces souffrances culminent dans la mort, c'est-à-dire quand un membre de l'un ou l'autre sexe perd la vie en remplissant son devoir patriotique, cette mort est *consacrée*. À Sparte, selon Plutarque, « il n'était permis d'inscrire sur les tombeaux les noms des morts, excepté ceux des hommes tombés à la guerre et des femmes mortes en couches ». De même, sur les reliefs funéraires d'un mort à Athènes, « aucune allusion n'est faite à la mort qui fut la sienne, à deux exceptions près : mort d'un soldat, mort d'une accouchée ». (Loraux)

Le thème de la « mort glorieuse » propre à chaque sexe se retrouve, terme pour terme, dans le système de croyance des Aztèques au Mexique : « Dans le Mexique précolombien, écrit Noémi Quezada, l'accouchement était considéré comme le combat des femmes, qui devenaient à ce moment des guerrières. Ainsi quand elles mouraient en couches elles étaient divinisées et avaient droit aux honneurs identiques à ceux des guerriers morts en bataille. » Par ailleurs, la déesse guerrière Cihuactetec était, comme Artémis, la divinité spécifique des parturientes.

L'analogie entre le guerrier et la parturiente, tout comme celle entre le guerrier et la prostituée, fonctionne grâce à un processus de métaphorisation réciproque. Impossible de savoir si les hommes ont décidé de donner aux douleurs féminines des « titres de noblesse » pour que les femmes puissent partager un peu la gloire du champ de bataille, ou si, à l'inverse, ils ont tenu à s'inventer une souffrance aussi digne, aussi méritoire, aussi spectaculaire dans ses résultats que celle de l'accouchement. Si l'accouchement a sur la guerre une « priorité » biologique, il n'a pas nécessairement la priorité symbolique ; pour cette raison, seule l'*interaction* entre les deux est susceptible d'analyse.

Vernant parle des cérémonies de préparation au mariage et à la guerre comme des « rites de passage ». Dans le livre bien connu qui porte ce titre, Arnold Van Gennep fait l'inventaire des cérémonies qui ont lieu à la puberté, chez les peuples primitifs, pour marquer l'entrée des enfants dans l'âge adulte. Chez les Masaï, par exemple, le rituel pour les garçons comporte neuf étapes ; enfin, « guéris, on les rase et dès que les cheveux ont repoussé assez longs pour pouvoir être tressés, ils sont dits *il-muran*, guerriers » ; pour les filles, après l'ultime étape, « guéries, on les marie ». La logique sous-jacente à ces rituels est la suivante : les enfants de chaque sexe doivent se préparer, par le moyen d'une violence quelconque, à remplir leur destin d'adulte respectif. Les filles apprennent (à travers l'excision ou d'autres procédés destinés à les rendre épousables et fidèles) qu'elles seront mères ; les garçons apprennent (à travers la circoncision, les bagarres, les compétitions sportives, etc.) qu'ils seront guerriers.

Pour quasi naturel qu'il puisse sembler, le parallèle est tout de même problématique, ne serait-ce que parce que la guerre est une institution homosexuelle et le mariage, une institution hétérosexuelle. Le mariage et la reproduction exigent la participation des deux sexes ; il est donc pour le moins étrange de les voir considérés comme des domaines spécifiquement féminins.

Une explication possible de cette anomalie est le caractère relativement abstrait de la paternité. Dans la mesure où le père ne fait l'expérience ni de la grossesse ni de l'accouchement ni de l'allaitement, son rapport à l'enfant est moins concret, dans un premier temps, que celui de la mère. C'est pourquoi chaque société à sa façon fait « naître » symboliquement l'enfant à l'homme. Dans le christianisme il y a le baptême, dans le judaïsme il revient au père de donner le prénom, etc. Et si, plus tard, au moment de la puberté, il faut des rites supplémentaires pour garantir la pleine appartenance de l'enfant à son sexe, c'est qu'il ne suffit pas que son père ait revendiqué son rôle dans la reproduction. La fille n'aura, au fond, qu'à imiter sa mère avec qui elle a toujours vécu : elle sera suffisamment préparée à sa vie de mère. Le garçon, au contraire, devra être extirpé du milieu féminin et initié à la virilité.

Si l'accouchement engendre moins de discours que la guerre, c'est sans doute aussi parce que celle-ci est un phénomène planifié, concerté, collectif, tandis que celui-là est toujours vécu dans l'intimité. Or ces discours déterminent, en grande partie, notre façon de voir le monde. Combien de fois avons-nous lu qu'une nation qui ne fait jamais la guerre devient « stérile », et qu'il faut verser le sang afin qu'elle redevienne « féconde » ? Combien de révolutions ont été comparées à des accouchements, en tant que convulsions violentes précédant la « naissance » d'une nouvelle société ? Dans son livre intitulé… *La Guerre, notre mère*, Ernst Jünger nous apprend que le combat « n'est pas uniquement une destruction, il est aussi une forme virile de régénération ».

Aujourd'hui, par un retournement cocasse, on trouve sous la plume d'écrivains féministes des descriptions de l'accouchement dans lesquelles celui-ci est explicitement assimilé à la guerre. Marilyn French, dans *The Women's Room*, file la métaphore assez loin : quand vous êtes enceinte, prétend-elle, « vous êtes inséparable de votre condition. Vous n'êtes plus une personne, vous êtes une grossesse. Vous ressemblez au soldat dans sa tranchée : il a chaud, il est mal à l'aise, il déteste ce qu'on lui donne à manger, mais il doit rester là pendant neuf mois. Il en arrive au point où il désire ardemment la bataille même si elle doit le tuer ou l'estropier à vie. Vous désirez même la douleur des contractions parce qu'elle mettra fin à l'attente. La grossesse est l'entraînement disciplinaire le plus rigoureux de l'expérience humaine. Comparée à elle, la discipline militaire […], c'est de la rigolade ». Phyllis Chesler, dans *Les Femmes et la folie,* insiste sur le fait que « *toutes* les femmes qui mettent au monde un enfant commettent, littéralement et symboliquement, un sacrifice sanglant pour la perpétuation de l'espèce ». Et puis il y a ce passage de Monique Wittig dans son roman utopiste *Les Guerrillères* : « Quand l'enfant est né, la sage-femme se met à pousser des cris à la façon de celles qui combattent à la guerre. Cela veut dire que la mère a vaincu en guerrière et qu'elle capturé l'enfant ».

Pour un comble, c'est un comble : voilà les parturientes transformées en héros militaires !

LA GUERRE RACONTÉE AUX FEMMES

Pas de guerre sans récit de guerre

Un paradoxe, quelque peu futile mais bien connu il y a quelques années, posait la question : si un arbre tombait dans la forêt et s'il n'y avait personne pour l'entendre, ferait-il du bruit ? De la même manière on pourrait se demander : une guerre qui ne donnerait lieu à aucun récit de guerre, aurait-elle eu lieu ? En fait, cette question n'est nullement paradoxale ; elle repose sur une problématique bien connue qui est celle du fort lien entre la narrativité et la notion de *conflit*. D'une part il y a la phrase célèbre de Hegel selon laquelle les peuples heureux n'ont pas d'histoire. Et d'autre part, comme nous l'avons tous appris à l'école en étudiant le théâtre classique, le conflit est l'essence de la situation dramatique.

La nécessaire transformation des événements guerriers en histoires (que celles-ci prennent la forme d'épopées, de souvenirs d'anciens combattants ou de journaux télévisés) constitue l'une des différences les plus saillantes entre violence animale et violence humaine. Précisément *pour que* celle-ci ne puisse être réduite à celle-là, il faut toujours pouvoir établir la séquence narrative : montrer comment un enchaînement de faits a provoqué l'éclatement du conflit armé ; comment, au cours du déroulement du conflit, certains individus ou groupes se sont distingués par leur courage tandis que d'autres se sont déshonorés par leur lâcheté ; quelles ont été les variations vertigineuses dans les rapports de forces en présence ; quelle a été la courbe décrite par l'escalade des agressions… jusqu'au dénouement de rigueur : traités de paix, bilan de pertes, distribution « définitive » des termes de vainqueur et de vaincu. Comme le dit bien George Eliot dans *Le moulin sur la Floss*, « il est douteux que nos soldats seraient maintenus s'il n'y avait pas tant d'êtres pacifiques qui, chez eux, aiment à s'imaginer en soldats. La guerre, à l'instar d'autres spectacles dramatiques, dépérirait peut-être faute d'un "public". »

La guerre imite le récit de guerre qui imite la guerre. Comme l'œuf et la poule, ils ont besoin l'un de l'autre pour s'engendrer. Dans la première guerre de la civilisation occidentale dont nous savons quelque chose, Achille est invincible parce qu'il porte le bouclier forgé par Héphaïstos, où sont dépeintes les histoires d'*autres* batailles glorieuses. Vaincre un héros a toujours signifié, entre autres, lui retirer le droit de faire valoir ses victoires antérieures. Cette logique est omniprésente dans l'épopée : « Eût-il déjà de son poing mis à mal l'univers entier, je le frapperai de telle sorte qu'il n'aura jamais plus l'occasion de raconter l'affaire. » (*Nibelungen*, XXXVII, 2272).

De nos jours, les hommes qui dirigent les institutions militaires ont des siècles et des siècles de modèles illustres derrière eux ; ils ont dans la tête des images de héros historiques aussi bien que mythiques : Achille et Siegfried, par exemple, sont à peine moins réels qu'Alexandre le Grand ou Genghis Khan. Ces images peuvent se côtoyer dans l'esprit d'un même individu, et les unes peuvent très bien contribuer autant que les autres à renforcer cet individu dans ses convictions et à l'appuyer dans ses actes.

Bernal Díaz, lorsqu'on s'étonna de la précision avec laquelle il évoquait des combats vieux de cinquante ans (il fut soldat au côté de Cortès pendant la conquête du Mexique), expliqua que les Espagnols avaient l'habitude de se retrouver chaque soir entre eux pour raconter les batailles de la journée et réitérer les récits de celles des journées précédentes, en s'efforçant de se rappeler le plus de détails possible. La traduction pour ainsi dire simultanée de la guerre en récit était en l'occurrence indispensable ; les conquistadors avaient besoin de *lire l'Histoire eux-mêmes*, littéralement sur-le-champ, afin d'en saisir le sens et d'en prévoir les rebondissements futurs.

Cette urgence est exceptionnelle : bien plus souvent, les guerriers se considèrent comme les pions d'un Destin ou d'une Grande Force politique qui les dépassent. Ils ignorent le sens de leur souffrance, tout en restant persuadés qu'il doit y en avoir un, et que d'autres s'évertueront un jour à le déchiffrer. C'est ce qu'explique Hélène à son beau-frère Hector lorsqu'elle décrit les malheurs qu'Alexandros et elle-même ont dû subir : « Zeus nous a fait une mauvaise destinée, afin que, plus tard, nous soyons un *sujet de poème* pour les hommes à venir ». (VI, 360) En d'autres termes, en prenant les armes, un homme fait preuve de sa capacité – ou du moins de sa volonté – non seulement de « faire l'Histoire » mais de *l'écrire*.

L'histoire de chaque guerre est *apprêtée* par divers médias culturels (de nos jours le roman, le cinéma, la télévision, mais aussi les organes de presse et les manuels d'Histoire) de la manière qui fournira le plus grand plaisir éthique et esthétique aux destinataires du récit. La guerre au Viêt-Nam, c'est bien connu, était un fiasco : les motifs ostensibles de l'intervention armée étaient tellement embrouillés et ambigus qu'une forte proportion de la population américaine n'y a pas cru. Cela a considérablement terni l'image de l'armée, qui a eu de plus en plus de mal à fournir du « plaisir du texte » à ses consommateurs. Par un retournement douloureux des choses, elle s'est trouvée dans l'embarrassante nécessité de *dissimuler* les activités de ses soldats (tortures, drogues, prostitution, massacres), et la guerre est devenue source de scandale plutôt que d'orgueil national. Quand une armée est obligée d'étouffer le récit de ses tueries plutôt que de l'étoffer, c'est un signe certain que quelque chose ne va pas, car c'est dans la nature des exploits militaires que d'être *discourus*.

Dans le récit de guerre comme dans le théâtre classique, il y a deux personnages principaux : le protagoniste et l'antagoniste ; le Héros et l'Ennemi. Selon les lois de l'antagonisme, chaque côté doit se concevoir, du moins collectivement, comme le Héros. (Cela n'empêche pas que – camaraderie virile oblige – chaque camp puisse admirer dans l'autre des héros individuels : Hector et Achille en sont l'exemple le plus illustre.) La poésie épique met en scène deux forces qui se disputent le droit d'employer la première-personne-triomphale. Bien évidemment, l'attitude du conteur à l'égard de cette confrontation de belligérants peut varier : il peut « prendre parti » ou rester neutre ; approuver ou réprouver le phénomène guerrier lui-même, et ainsi de suite. Le nombre réel des victimes – et *a fortiori* leur éventuelle innocence – sont des considérations secondaires ; ce qui compte, c'est la capacité de tuer le récit triomphaliste de l'autre. Ainsi, la compétition qui oppose depuis la Seconde Guerre mondiale les États-Unis et l'Union soviétique est-elle non seulement économique, ou militaire par pays interposés, mais également verbale, faite de ces discours à la troisième-personne-menaçante qui constituent un prélude obligatoire à toute déclaration de guerre. L'institution militaire de chaque pays emploie des techniques sophistiquées d'espionnage et de propagande pour déterminer et dénoncer la capacité de l'autre à supprimer l'ensemble de l'espèce humaine. Les populations civiles suivent cet échange verbal avec une grande avidité : elles croient tout ce qu'on leur raconte, et trouvent sans doute le suspense d'autant plus enivrant que les vedettes de l'Armageddon toujours imminent sont des armements nucléaires dont les noms ont des référents mythologiques (Jupiter, Poséidon, Trident…).

La lutte pour l'occupation exclusive du champ du discours est aussi acharnée que celle pour l'occupation exclusive du champ de bataille ; la différence consiste en ce que celle-là dure plus longtemps que celle-ci. Tant qu'ont lieu des combats, différentes interprétations cherchent à s'imposer. Par exemple, chaque côté minimise ses propres pertes et gonfle celles de l'ennemi. Quand la guerre entre l'Iraq et l'Iran était encore suffisamment neuve pour mériter d'être traitée parmi les nouvelles, on entendait chaque jour des chiffres aussi extravagants que contradictoires ; l'absurdité pouvait nous frapper seulement grâce à notre « neutralité » dans l'affaire. Il va de soi que pendant la guerre du Viêt-Nam nos conteurs ont fait parmi les éléments à leur disposition un type de sélection très différente. L'Amérique a perdu la guerre, mais il est vraisemblable qu'elle gagnera le récit de guerre, du moins aux USA, où cinq petites années ont suffi pour transformer une « défaite humiliante » en une « cause noble ». Les guerres ne se terminent pas avec la cessation des hostilités ; elles ne sont finies que lorsque le droit de les décrire a été approprié par un côté aux dépens de l'autre. Pour prendre un autre exemple, pendant la Deuxième Guerre mondiale, les pays fascistes *et* les forces alliées tenaient un discours triomphaliste sur ce qui était en train de se passer. Puisque Hitler a perdu, c'est la deuxième version qui est désormais entérinée comme vérité historique. Vaincre l'Allemagne a signifié, outre imposer la reddition des troupes nazies, éliminer le discours triomphaliste sur l'extermination des juifs et faire en sorte que seules les bombes lâchées sur le territoire allemand puissent entrer dans l'histoire comme « bénéfiques ».[*]

La guerre est une question de vie ou de mort : *pour le récit aussi.*

Mais si ceux qui *participent* à la guerre sont susceptibles d'en faire du cinéma (j'ai entendu un vétéran du Viêt-Nam dire qu'il s'était engagé dans les paras parce que c'est ce qu'aurait fait John Wayne en pareilles circonstances !), cela est encore plus vrai pour les civils, les gens qui s'installent devant l'écran, petit ou grand. pour consommer de la violence apprêtée en histoire[**]. C'est même la seule chose qui puisse m'autoriser, moi, à parler de la guerre, étant donné que pas un seul jour de ma vie je n'ai vécu dans un pays où se déroulaient des « hostilités » réelles. Je n'ai vu de bombes que filmées ou écrites, je n'ai entendu d'explosions que simulées ou reproduites. À partir de cette expérience médiatisée

---

[*] Depuis la Seconde Guerre, un phénomène nouveau est apparu : le *récit victimaire* qui donne, à ceux qui s'y identifient, un avantage symbolique presque aussi puissant que celui du récit héroïque.

[**] Voici un indice de la collusion singulière dans ce domaine entre les faits et la fiction : quand, pour le tournage d'*Apocalypse Now*, Francis Ford Coppola a orchestré la destruction fictive d'un village vietnamien, il a utilisé de vrais avions de l'armée américaine – qui, lorsqu'ils n'étaient pas requis pour le tournage, retournaient effectuer de vrais vols de reconnaissance au-dessus des Philippines.

de la guerre, je peux quand même faire deux constats : de tout temps, ce sont des hommes (et non l'Homme) qui ont fait les récits de guerre ; de tout temps, ce sont des hommes (et non l'Homme) qui, tant dans les faits que dans les fantasmes, ont décidé de la distribution des rôles en la matière.

Les rôles des femmes

L'un des principes fondamentaux du genre « récit de guerre » est implicite dans la déclaration d'Hector à Andromaque selon laquelle « la guerre sera l'affaire des hommes » : la guerre ne sera donc *pas* l'affaire des femmes. Cela veut dire, à tout le moins, que les femmes seront parmi les destinataires privilégiés des récits de guerre. Judith Stiehm, qui milite contre l'exemption des femmes du service militaire aux États-Unis, est plutôt sarcastique à cet égard : « Une relecture récente d'*Autant en emporte le vent* m'a rappelé que pour beaucoup d'Américains, surtout les femmes, le combat est moins une idée abstraite qu'une fiction. » Et en effet, même au beau milieu des combats, les femmes font souvent comme s'il s'agissait d'un pur spectacle. Gertrude Stein exprime cette conviction à plusieurs reprises dans *Les guerres que j'ai vues* : « Nous voici au cœur du pays français avec près d'une centaine de soldats allemands dans le village même et des barbelés enchevêtrés et de petites maisons noires tout autour de la gare et c'est exactement comme dans un roman ou un théâtre plus théâtre que roman, et très excitant. »

Dans les coulisses et dans l'assistance, un nombre non négligeable de rôles sont dévolus au sexe féminin, et nécessaires au bon déroulement de l'intrigue. Plusieurs de ces rôles sont purement passifs : les femmes peuvent être un *prétexte* de la guerre (comme Hélène de Troie) ; elles peuvent servir de *butin* aux vainqueurs méchants ou de *récompense* aux alliés sympathiques ; elles peuvent être, au même titre que « le territoire » ou « la patrie », un *bien à protéger* ; mais elles représentent aussi le Bien : un *idéal*, instance de perfection et de paix, sujet de nostalgie ; par ailleurs, épouses ou prostituées, elles sont le *repos du guerrier* ; elles peuvent être exportées comme *divertissement* pour les troupes en proie au mal du pays ; enfin, bien sûr, elles sont de plus en plus nombreuses à jouer ces figurantes que sont les *victimes**.

Par ailleurs, si les femmes prennent rarement une part vraiment active à la guerre, les récits de guerre leur assignent plusieurs rôles « réactifs » très importants. Elles peuvent jouer aux *infirmières* généreuses (comme Florence Nightingale) ou aux *espionnes* séductrices (comme Mata Hari) ; elles peuvent constituer *la claque*, toujours présente au départ du train pour théâtraliser les adieux aux hommes en uniformes ; elles peuvent être des *castratrices*, impitoyables pour les hommes qui refusent de devenir des meurtriers-machos (ainsi a-t-on vu dans la série télévisée *Holocauste* que la crainte du mépris d'une femme pouvait être un facteur déterminant dans la fabrication d'un SS) ; des *mères* miraculeuses, accouchant à un rythme accéléré pour peu qu'un Leader charismatique ait besoin de chair à canon ; des *épouses* éplorées dans des affiches, tendant vers le ciel leurs enfants (surtout leurs enfants mâles) pour inciter les hommes à entrer en lice ; des *putains*

---

* Une amie lisait récemment à sa fillette *L'Iliade racontée aux enfants*. Dès que l'enfant eut compris les données de départ, elle s'étonna : « Mais pourquoi n'a-t-on pas demandé son avis à Hélène ? » Elle avait remarqué tout de suite la nudité de l'empereur, déniée dans tous les textes et dans toutes les têtes depuis des millénaires. La vraie réponse à sa question, bien sûr, c'est que si l'on avait demandé son avis à Hélène, il n'y aurait eu aucune histoire à raconter.

perfides, excitées par n'importe quel uniforme tape-à-l'œil et prêtes à trouver l'armée ennemie plus sexy que la leur ; enfin, des *citoyennes* coopératives, soudainement dotées d'une force quasi masculine pour le travail dans les champs et les usines – force qui, une fois la guerre terminée, s'évaporera tout aussi soudainement.

Certains de ces rôles sont d'apparition récente dans l'Histoire, et il est rare que tous se trouvent remplis au cours d'une seule guerre ; ils peuvent se combiner, aussi, de différentes manières ; mais il est incontestable que si les femmes n'étaient pas « présentes dans leur absence » sur les champs de bataille, *il ne s'y passerait rien qui vaille la peine d'être raconté.* « Sans les femmes [...], il n'y aurait pas la Légion [...]. Elles sont la cause de tous les héroïsmes et de toutes les désertions. » (Serge)

Examinons de plus près quelques-uns de ces rôles dévolus aux femmes dans les guerres et les récits de guerre...

Corruptrices

Comme presque tous les héros – c'est un lieu commun – Samson fut engendré de façon miraculeuse : sa mère stérile reçut la visite d'un ange de Yahvé, qui lui annonça qu'elle enfanterait un fils (que je sache, aucun ange n'a encore annoncé à aucune femme qu'elle enfanterait une fille), et ajouta ceci : « Le rasoir ne passera pas sur sa tête, car le garçon sera, dès le sein maternel, un Nazaréen de Dieu et c'est lui qui commencera à sauver Israël de la main des Philistins », sans prendre la peine d'élucider les raisons de cette interdiction singulière. Le bébé dûment né grandit et se révèle effectivement doué de puissance surhumaine, ce qui lui permet d'assassiner des centaines de Philistins, jusqu'au jour où il commet la bêtise fatale de tomber amoureux de Dalila. Celle-ci est une sorte de Mata-Hari biblique : de connivence avec les satrapes des Philistins, elle séduit le pauvre Samson uniquement afin d'apprendre le secret de sa force ; à trois reprises il lui donne des réponses mensongères ; chaque fois qu'échouent les efforts de Dalila pour le désarmer, elle lui reproche son manque d'amour ; enfin, la quatrième fois, il lui révèle le vrai secret et elle le trahit aussitôt : pendant la nuit, un Philistin (et non Dalila elle-même[*]) lui rase ses sept tresses, et quand il se réveille, ses forces l'ont quitté. On lui crève les yeux et on le fait prisonnier ; Dalila empoche sa récompense. Mais les cheveux de Samson repoussent à une vitesse surnaturelle, et quand on l'emmène au temple où la foule est en train de se réjouir de sa défaite et de se divertir à ses dépens, il invoque l'aide de Yahvé pour sa vengeance et, kamikaze, s'appuie contre les colonnes centrales de sorte que le temple s'écroule et le tue… en même temps que trois mille autres personnes. « Les morts qu'il fit mourir à sa mort, souligne le récit biblique, furent plus nombreux que ceux qu'il avait fait mourir en sa vie. » (Juges, XIII-XVI) Une vraie vie de héros, en somme, depuis le berceau jusqu'à la tombe.

Pourquoi Samson a-t-il perdu toute sa force quand on lui a coupé les cheveux ? Affirmer que la tonsure est une castration symbolique, comme le fait tout un chacun depuis Freud, ce n'est pas vraiment répondre à la question. Tout au plus cette réponse soulève-t-elle une question plus troublante encore : l'énergie meurtrière des hommes serait-elle *la même chose* que leur énergie sexuelle ?

---

[*] Mais il est significatif que l'on se trompe *toujours* là-dessus ; voir, par exemple, le poème de John Milton ou le film de Cecil B. De Mille consacrés à cette histoire.

Bien que les héros aient toujours été perçus comme éminemment virils, la preuve en a été leur prouesse non en amour mais sur le champ de bataille. Il est sous-entendu qu'ils *pourraient* faire l'amour, et qu'ils seraient des amants formidables, et que toutes les femmes seraient comblées par leurs étreintes, mais en fait ils passent très peu de temps au lit. Le contact avec les femmes est perçu comme destructeur de virilité, alors que les batailles, elles, peuvent indéfiniment régénérer la force des mâles.

De nombreux ethnologues, parmi eux Malinowski, ont décrit les rites d'abstinence sexuelle qui précèdent les expéditions guerrières dans les sociétés primitives. En général, les Européens prennent pour de l'argent comptant l'explication du phénomène fournie par les indigènes : puisque l'on tient à partir pour la guerre dans une pureté totale du corps et de l'esprit, il faut éviter la contamination qu'entraînerait le contact avec une femme. Les ethnologues, surtout s'ils sont hommes, mettent rarement en question l'idée que les femmes sont par essence contaminées et contaminantes ; encore moins remettent-ils en cause le *besoin* impérieux qu'ont leurs informateurs de faire la guerre : ce besoin est accepté comme une donnée, au même titre que le besoin de se nourrir ou de dormir ; du coup, le scientifique peut décrire les rituels qui entourent la guerre exactement comme ceux qui entourent la consommation de la nourriture.

Chez les Trobriandais de la Nouvelle-Guinée étudiés par Malinowski, un nombre limité de circonstances exigent l'abstinence sexuelle totale : la guerre, les longs voyages en bateau, le jardinage (prérogative des hommes), un ou deux rites magiques, et… un certain nombre de « crises physiologiques » chez les femmes, telles la grossesse et l'allaitement. Malinowski entre ensuite dans le détail ; il dit qu'« il existe des châtiments précis qui tomberaient sur le transgresseur individuel. Aurait-il des rapports sexuels, une lance hostile lui transpercerait le pénis ou les testicules. Dormirait-il nez à nez avec sa fiancée, il serait frappé dans les environs du nez. S'assoirait-il même sur la même natte qu'une fille, ses fesses ne seraient pas à l'abri d'une attaque ». Malinowski n'hésite pas à tirer la conclusion « scientifique » qui découle automatiquement de ces données : « Sans doute les hommes étaient-ils bien trop préoccupés par l'excitation des combats pour faire attention aux divertissements plus habituels et donc, peut-être, moins absorbants de l'amour ».

L'amour est un « divertissement », une forme de sport ; il mobilise les mêmes élans et les mêmes intérêts que la guerre, tout en étant plus prosaïque et plus prévisible ; surtout, il détourne l'attention et la tension qui devraient être consacrées aux combats. La nature de ce « devrait » reste cependant à éclaircir. Comme Malinowski, la plupart des auteurs (et vraisemblablement la plupart des êtres humains) ne problématisent jamais l'existence des combats en tant que tels, ni la valeur intrinsèque de la force brute chez les mâles, ni la nécessité de les éloigner des femelles aux moments critiques.

James Frazer, pour sa part, fait découler les pratiques d'abstinence chez les primitifs des principes de la magie homéopathique, d'après lesquels les guerriers « s'assimileraient la faiblesse et la poltronnerie des femmes par le contact avec elles. Certains d'entre eux, ajoute-t-il, croient que le contact d'une femme en couches suffit pour énerver un combattant et enlever toute force à ses coups ». Marie Bonaparte, elle, a eu au moins le mérite de souligner que ces croyances ne sont nullement réservées aux hommes « primitifs » : elle les évoque dans une tentative pour expliquer le mythe, très répandu pendant la Seconde Guerre mondiale, d'un « vin d'intendance » qui aurait été altéré par les autorités dans le but de provoquer l'impuissance des recrues (!). « Dans les deux cas, écrit-elle, un commandement interne, tabou impératif chez les primitifs, inhibition névrotique chez le civilisé, se trouve projeté sur des puissances dressées à l'extérieur d'eux-mêmes par l'imagination des soldats, des guerriers ».

Les hommes auraient-ils créé un « tabou », un « impératif » d'abstinence sexuelle avant la guerre parce que la peur les rend à toutes fins pratiques *impuissants* à ce moment-là ? Hypothèse séduisante… Encore faudrait-il expliquer pourquoi, avec les prostituées, c'est tout sauf la débandade. Marie Bonaparte ne parle pas de ces femmes-là mais des femmes légitimement « possédées » ; en bonne psychanalyste, elle résout l'énigme de l'impuissance en la ramenant à une histoire de papa-maman… Dans cette optique, l'Ennemi figure et ressuscite le Père : « Il faut, pour acquérir le droit de le vaincre ensuite, d'abord lui sacrifier : on lui sacrifie alors le bien le plus cher, la possession des femmes […]. Ainsi, après avoir été symboliquement expié d'avance, le crime initial pourra être, sur le corps de l'ennemi, victorieusement renouvelé ». La guerre, dès lors, n'est rien d'autre que le « reflet du double crime œdipien initial, meurtre du père aussitôt suivi de la triomphale prise de possession de ses femmes […]. Les déchaînements sexuels de certains des soldats européens, dès la fin des combats, célèbrent à nouveau ce lointain triomphe sur leur mode détourné ».

Outre les inconvénients relevant de son schématisme, cette explication avancée par une femme prive les femmes des *forces* qui leur sont quand même reconnues dans presque toutes les variantes de l'histoire de Samson : tantôt forces de séduction (chez Dalila et Mata-Hari, par exemple), tantôt forces de reproduction (chez les femmes enceintes et celles qui allaitent, dont l'état de « crise physiologique » effraie et impressionne visiblement les hommes). On pourrait prendre comme paradigme de cette puissance féminine néfaste la magie de Circé : avant même qu'Ulysse n'aborde la demeure de la sorcière, Hermès le prévient que celle-ci le pressera de partager sa couche et qu'il faudra d'abord lui faire jurer qu'« elle ne profitera pas de ta nudité pour te priver de ta force et de ta virilité ». (x, 300-301) Ulysse ne tarde pas à accuser Circé de méditer contre lui des « desseins perfides » : « Tu veux que je sois nu pour m'ôter la force et la virilité, mais moi, je ne saurais consentir à monter dans ton lit, si tu n'acceptes, déesse, de t'engager par un grand serment à ne point me tendre un nouveau piège ». (x, 340-343) Par quels moyens exactement elle eût pu lui dérober force et virilité, et pourquoi la condition nécessaire de ce vol eût été sa nudité, Homère ne nous le dit pas (de simples vêtements arrêteraient une magie capable de transformer des hommes en porcs ?) ; il semble bien que l'affaiblissement que redoute le héros soit lié à l'accouplement en tant que tel.

Que les prétextes soient la contamination ou le tabou de l'inceste, la poltronnerie des femmes ou leur magie, la croyance que le contact avec le monde féminin empêcherait les hommes de se battre est si profondément ancrée dans nos têtes qu'on en oublie de se demander pourquoi les hommes se battent. Et le complexe de Samson se trouve ailleurs que dans l'armée ; il est présent partout où les hommes doivent se montrer forts ; il est rabâché par les médias, non seulement dans les produits culturels que l'on fait avaler aux « masses » (dans *Superman II*, Clark Kent doit renoncer à tous ses pouvoirs surhumains s'il veut épouser Loïs Lane), mais dans les commentaires les plus banals des exploits héroïques contemporains, par exemple celui-ci dans le journal *Libération* (25 mai 1981), à propos du champion de tennis Björn Borg : « Soudain, il a mal à l'épaule, aux abdominaux, abandonne une rencontre parce qu'un genou lui fait mal, a des ampoules aux mains et aux pieds […] "Borg sur le déclin", annoncent certains ; son mariage avec Mariana aurait eu raison de sa rage. »

Spectatrices et juges

La violence humaine n'est jamais une relation duelle, simple confrontation entre deux puissances pour décider laquelle l'emportera (comme cela se passe par exemple entre les « armées » de fourmis) ; toujours existe une tierce instance, située à l'extérieur de cette confrontation, et qui lui confère tout son sens. La guerre humaine (pléonasme, donc, puisque seuls les humains se font la guerre) est entre autres choses un *langage,* et aucun langage ne peut s'instaurer entre les deux premières personnes (« je » et « tu »), sans la présence implicite de la troisième. En l'occurrence, cette troisième personne est une « elle », et le « je » et le « tu » sont masculins. Le spectateur passif est un donateur de sens actif.

Il ne faut surtout pas sous-estimer le fait que les femmes, dans cette Histoire qui est la nôtre, se sont souvent mises à genoux devant l'uniforme ; qu'elles ont souvent poussé leurs maris et leurs fils à être plus ambitieux et plus puissants, quitte à écrabouiller d'autres hommes sur leur chemin ; qu'elles ont souvent tremblé de plaisir quand deux hommes se sont battus « pour elles ». Du reste, le récit des hauts faits militaires est parfois perçu comme une sorte de caresse verbale, un moyen de susciter la bienveillance ou l'admiration des femmes ; la logique interne de l'épopée fonctionne de manière à confirmer (donc à perpétuer) cet effet de séduction. Selon Virgile, Didon tombe amoureuse d'Énée après une nuit passée à l'écouter raconter les malheurs de Troie. Le lendemain matin elle s'exclame : « Anna ma sœur [...]. Quel hôte extraordinaire est entré dans notre maison ! [...] Que d'épreuves guerrières supportées jusqu'au bout ! Quelle épopée ! » (*Énéide*, IV, 12.)

Si cela marche comme un charme, c'est encore une fois parce que sur le champ de bataille (comme dans le théâtre classique) seuls les hommes peuvent être les acteurs.

Ici encore, il est presque impossible de démêler les faits de la fiction. Comment savoir si les femmes réelles qui poussent les hommes à se battre ont été les modèles pour les héroïnes de ces histoires, ou si, à l'inverse, elles ont modelé leur comportement sur celui qu'on leur avait décrit et raconté depuis l'enfance comme idéal féminin ?

Il est vrai que de nos jours cette survalorisation de la force spécifiquement guerrière chez les hommes s'est quelque peu atténuée, surtout dans les pays industrialisés, où elle a été rendue à peu près superflue par la modernisation des armements. Toutefois, l'idée d'une « force » propre aux mâles ne s'est pas évaporée sans laisser de traces ; elle a simplement subi des transformations, dont la teneur varie selon les classes sociales. Tantôt elle prend la forme de l'*argent* (les hommes continuent de monopoliser les emplois les plus lucratifs, et de se sentir dévirilisés quand leurs épouses gagnent plus qu'eux), tantôt celle de l'*esprit* (confère cette élégante publicité pour une marque de whisky : « Pour les soirées où toutes les femmes sont belles et tous les hommes intelligents »), et tantôt de l'*athlétisme*. S'il reste des héros virils, c'est à coup sûr dans le monde du sport ; et cela n'est vrai que depuis le début du xxe siècle (les premiers Jeux olympiques furent organisés en 1894), c'est-à-dire, à peu de chose près, depuis que la guerre est devenue une confrontation massive, anonyme et hypermécanisée.

Le philosophe Alain est l'un de ceux qui ont posé le moins brutalement le problème de la responsabilité des femmes dans la guerre ; on peut même dire que, plutôt que de le poser, il l'a soulevé avec des pincettes, n'osant pas aller jusqu'au bout de son idée, comme en témoigne le grand nombre de « peut-être » qu'il emploie : « Cette page, assez amère, écrit-il dans *Mars ou la guerre jugée*, peut être bonne à lire pour les femmes, qui ne sont point faibles, mais autres. Leur faute serait peut-être d'agir comme les hommes faibles, et de menacer en laissant à d'autres de frapper. Qu'elles pensent une minute à ce rôle honteux qu'ont joué peut-être quelques-unes. À presque toutes il a manqué peut-être un amour moins passif, qui saisirait mieux chez le héros timide les signes de l'intrépidité. Mieux assurées, alors, de la force de l'âme masculine, elles ne voudraient plus l'éprouver en ces massacres qui l'anéantissent aussitôt, pour le triomphe des faibles et des poltrons. »

Mais Alain ne s'aventure pas à nous dire *pourquoi* les femmes veulent ainsi « éprouver » la force des hommes. S'agirait-il d'un atavisme explicable par la théorie darwinienne : plus un homme était fort, plus il était en mesure de défendre sa femme et sa progéniture, garantissant ainsi la survie de l'espèce ? Le goût féminin pour les uniformes et les muscles serait-il partie intégrante de l'instinct de préservation ? Personne n'en a été plus convaincu qu'Albert Cohen qui, dans *Belle du Seigneur,* attribue à son porte-parole Solal une des plus impressionnantes diatribes misogynes de la littérature française. Le début du passage est fort convaincant : « Cette beauté qu'elle veulent toutes, paupières battantes, cette beauté virile qui est haute taille, muscles durs et dents mordeuses, cette beauté qu'est-elle sinon témoignage de jeunesse et de santé, c'est-à-dire de force physique, c'est-à-dire de ce pouvoir de combattre et de nuire qui en est la preuve, et dont le comble, la sanction et l'ultime secrète racine est le pouvoir de tuer, l'antique pouvoir de l'âge de pierre, et c'est ce pouvoir que cherche l'inconscient des délicieuses, croyantes et spiritualistes ».

Solal enchaîne sur le thème de l'animalité, traitant même le respect de la culture de « babouinerie », dans la mesure où la culture est l'apanage de la caste des puissants. Mais la fin du passage laisse voir les maillons faibles de son raisonnement, et leur banalité est décevante ; c'est en effet parce que Solal voudrait que les femmes soient des anges qu'il les fustige en tant que bêtes : « C'est la stupéfaction de mes nuits que les femmes, merveilles de la création, toujours vierges et toujours mères, venues d'un autre monde que les mâles, si supérieures aux mâles [...], c'est mon épouvante qu'elles soient séduites par la force qui est pouvoir de tuer, c'est mon scandale des nuits, et je ne comprends pas, et jamais je n'accepterai ! ».

Nous voilà revenus à notre point de départ. Les femmes sont « toujours vierges et toujours mères », sauf qu'elles ne le sont pas, et qu'il faut donc créer un monde idéal dans lequel elles le seront, un monde habité par des Idées de la femme, des mères-vierges, et défendu par des hommes : et de ce monde, ainsi que de sa défense, il faut exclure les femmes réelles.

Si les hommes apprennent à se lier *et* à se faire concurrence, c'est d'abord pour se distinguer des femmes en les dénigrant (duels verbaux), ensuite pour gagner la faveur des femmes en les impressionnant (sports), et enfin pour garantir leur dépendance en les défendant (guerre). L'effet ultime de cette série a été de privatiser (et donc de désamorcer) le pouvoir des femmes : en effet, les pères ne pouvaient contrôler la reproduction que si les mères étaient cantonnées dans la domesticité. C'est pourquoi les valeurs inculquées aux filles comme « féminines » concernent les rapports interpersonnels et non les rapports sociaux. C'est aussi pourquoi, du moins jusqu'à une date récente, la « camaraderie féminine » était une contradiction dans les termes. Les valeurs viriles coïncidaient avec celles de la vie collective, les valeurs féminines avec celles de la vie privée. Les hommes bâtissaient des empires ; les femmes étaient les âmes du foyer.

... Mais elles en étaient aussi les reines. Les despotes, dans ce seul domaine de pouvoir qui leur était accordé. Comment s'étonner, dès lors, de la haine des mères qui transparaît dans les jeux des petits garçons et dans les batailles des grands hommes ? Et comment s'étonner de ce que, privées de toute autre possibilité de force, interdites d'accès aux métiers qui symbolisaient la force, les femmes aient admiré, chez les hommes, précisément la force ?

Pleureuses et esseulées

Avant, pendant, après la guerre, en tant que mères, épouses ou fiancées, en tant que sœurs ou filles, les femmes versent des larmes. Elles le font sous deux prétextes possibles : soit l'atteinte à leur intégrité corporelle – elles peuvent être violentées ou violées par l'ennemi – soit le deuil, lorsque leur fils, mari ou fiancé, leur frère ou bien leur père, trouve la mort sur le champ de bataille. Les larmes des femmes sont un liquide qui imprègne les pages de l'Histoire autant que le sang des hommes, et qui se trouve dans un étrange rapport d'équivalence avec celui-ci.

Dans l'*Iliade*, lorsqu'ils préparent leur siège de la ville de Troie, les Achéens formulent ce qui pourrait sembler une définition bizarre de la victoire : « Que personne ne se hâte de retourner chez lui avant d'avoir couché avec la femme d'un Troyen et vengé le départ et les plaintes d'Hélène ». (II, 360) Avec cette idée en tête, ils s'attellent à la tâche. La guerre est un moyen : avant de pouvoir violer les Troyennes, ils sont obligés de massacrer les Troyens, tout en sachant que le *récit de ces massacres* sera transmis aux Troyennes : « Autour de lui [Hector] accoururent les femmes et les filles des Troyens, pour s'informer de leurs enfants, de leurs frères, de leurs parents, de leurs maris. Il les pressa de prier les dieux, toutes, sans cesse, et sur beaucoup d'entre elles, le deuil était suspendu ». (VI, 245) Le deuil des femmes est-il ici une simple métonymie, un euphémisme poétique pour la mort des hommes ? Ou n'est-il pas, en lui-même et pour lui-même, *l'un des buts* de l'activité guerrière ?

Quand Achille décide enfin de se joindre à la mêlée, après s'être fait longuement prier, voici ce qu'il déclare : « Maintenant, puissé-je prendre une noble gloire, et pousser quelque Troyenne, quelque Dardanienne au corsage profond, à essuyer des deux mains, sur ses joues tendres, des larmes, et sans cesse à gémir ». (XVIII, 120) Cette décision de participer à la guerre, Achille la prend parce que son camarade-amant Patrocle est tombé au combat. Voici comment il s'adresse au cadavre qu'il souhaite venger : « Autour de toi, Troyennes et Dardaniennes au corsage profond pleureront nuit et jour, versant des larmes, elles que nous avons péniblement conquises, par notre force et notre longue lance, en saccageant les grasses villes des hommes doués de la parole ». (XVIII, 340) Et il faut croire que tout s'est passé comme prévu, que les femmes ont fait exactement ce que l'on attendait d'elles : Briséis annonce la mort de Patrocle « en pleurant, et là-dessus gémissaient les femmes, en prenant pour prétexte Patrocle, mais chacune sur ses propres malheurs ». (XIX, 300) Achille abat Hector ; Zeus envoie Iris porter un message chez Priam, où elle découvre « ses filles dans le palais, ainsi que ses brus » en train de se lamenter « au souvenir de tous les nobles combattants qui, par les mains des Argiens, gisaient, ayant perdu l'âme ». (XXIV, 165) Et l'épopée de s'achever dans une véritable apothéose de plaintes féminines : « Pour les Troyennes, Hécube mena la série des lamentations » (XXII, 430) ; ce sont Hécube, Hélène et Andromaque qui auront le mot de la fin. L'événement artistique majeur qu'est l'*Iliade*, monument littéraire sans précédent et sans pareil, se termine dans le non-langage, les cris désarticulés des femmes, échos désordonnés et déformants des faits accomplis par les hommes.

Bien qu'il relève d'une autre tradition littéraire que l'*Iliade* et raconte un autre type de guerre, le cycle germanique des *Nibelungenlieder* est identiquement scandé par les larmes des femmes. Comme si ce liquide versé dans l'intimité du foyer venait en lieu et place du sang versé sur le champ de bataille, Siegfried incite ses guerriers non à tuer les Saxons mais à faire pleurer les Saxonnes : « En avant, dit Siegfried, on verra s'accomplir bien d'autres exploits avant la fin du jour, si la vie m'est conservée. Ils mettront en deuil maintes dames avenantes au royaume de Saxe ». (IV, 194) Si tel est en effet le but des actes héroïques, il s'ensuit que la mesure la plus adéquate du véritable héroïsme sera le litre de larmes : « Personne ne pourrait vous dire les merveilles qu'accomplit Siegfried chaque fois qu'il s'élançait sur l'ennemi. Il a causé aux dames de cruels chagrins en faisant périr leurs proches ». (IV, 229)

En clair, le raisonnement qui sous-tend cette imagerie si insistante dans les récits de guerre est le suivant : les femmes ne sont pas des sujets mais des biens. L'ennemi gisant n'est donc pas seulement un cadavre de plus ; c'est aussi un « propriétaire » de femme en moins : « Le bien-aimé de mainte dame resta mort sur place ». (IV, 230) Dès lors, tout plaisir dérivant des scènes d'amour doit être mitigé (ou plutôt rehaussé) par la perspective des catastrophes à venir, et les larmes de femmes servent admirablement de raccourci pour ce trajet, inévitable, du bonheur au malheur : « Prenant dans leurs bras de belles dames, ils leur firent de douces caresses. Par la suite mainte jeune fille eut à pleurer de ce départ ». (XXVII, 1710)

La femme seule, la femme sans « propriétaire », est présentée comme à la fois excitante et angoissante pour les hommes guerriers. L'excitation vis-à-vis de la femme seule de l'Ennemi trouve son contrepoids dans l'angoisse de la femme seule du Héros (étant entendu qu'ici la seule différence structurale pertinente entre le Héros et l'Ennemi concerne la personne grammaticale). Dans *Guerre et paix,* le prince André quitte sa femme enceinte pour se faire aide de camp du général Koutouzov. Dans L'*Énéide,* Turnus contemple Livinia : « Troublé d'amour,

Turnus attache ses yeux sur elle, son ardeur guerrière croît encore. » Et dans ma propre saga familiale :

Au revoir ! pleure pas !
Essuie tes jolis yeux, mon chat !
C'est dur de se quitter, je sais
Mais je suis ravi de m'en aller !

... C'est une chanson que m'a apprise mon grand-père ; elle date de la Première Guerre mondiale. La même chanson, toujours la même. Je t'aime ; salut. À la limite, je t'aime *parce que* salut.

La lourde artillerie symbolique de la guerre, loin d'être devenue caduque en même temps que les canons, a encore fonctionné de manière efficace tout au long du XXe siècle. Pendant la guerre de 40, la femme seule du Héros a été admirablement incarnée par *Lili Marlene* : cette chanson a traversé toutes les frontières géographiques, toutes les divisions militaires ; elle était sur les lèvres des troupes allemandes, françaises, anglaises et américaines ; les hommes de guerre avaient assurément leurs différends mais ils avaient au moins cela en commun : la nostalgie pour la femme idéale qu'ils avaient laissée seule chez eux. Dans les pays où se déroulaient les combats, à cette nostalgie s'ajoutait une angoisse savamment entretenue par les pouvoirs militaires et politiques. Voici un extrait de la dernière harangue qu'adressa Hitler aux soldats sur le Front de l'Est, le 15 avril 1945 : « Nos ennemis mortels les Juifs bolcheviks ont lancé leurs forces massives à l'attaque. Leur but est de réduire l'Allemagne en poussière et d'exterminer notre peuple. Nombreux sont nos soldats à l'Est qui connaissent déjà le sort qui menace, surtout, les femmes, filles et enfants allemands. Tandis que les vieillards et les enfants seront assassinés, les femmes et

les filles seront réduites à faire les putains de régiment. »
(Bullock)

Après la guerre, dans tous les pays d'Europe, des monuments aux morts furent érigés : combien de fois, dans combien de centaines de villages, avons-nous vu ces femmes de pierre verser encore des larmes de pierre, pour figer à jamais le deuil et la reconnaissance de la patrie ? Elles sont entourées de listes : les noms de ceux qui, fils du village, sont tombés au combat... Oui, la guerre est affaire – *aussi* – d'écritures, d'inscriptions, de marques. Les atrocités propres à la guerre sont propres à l'animal parlant.

Du coup, il n'est même pas nécessaire d'avoir des convictions profondes ni des idéaux exaltants pour partir à la guerre ; il suffit d'aimer une femme. Car il y a toujours eu quelques hommes assez lucides pour savoir que les valeurs pour lesquelles ils se battaient étaient trahies par le fait même de se battre, pour s'apercevoir que l'obéissance et la soumission au chef étaient des preuves de lâcheté et non de courage ; pour comprendre que, quel que puisse être le dénouement de cette guerre particulière, il serait provisoire et non définitif, que le vainqueur serait vaincu à son tour, et que les royaumes, ou les Églises, ou les nations, finiraient par s'écrouler.

Hector (tel qu'il est conçu par Homère dans l'*Iliade*) était un de ces hommes-là : il ne croyait pas en l'absolutisme des valeurs pour lesquelles il allait perdre la vie : « Je le sais bien, moi-même en mon âme et en mon cœur, dit-il à Andromaque : un jour viendra où périront Ilion la sainte, et Priam, et le peuple de Priam à la forte lance. » Mais il y a toujours au moins *une* bonne raison d'effectuer le sacrifice suprême, au moins *une* valeur transcendante qui justifie de se jeter à corps perdu dans une entreprise aussi folle que la guerre : cette raison, cette valeur, c'est souvent la femme : la vertu qu'elle représente pour le guerrier, l'amour qu'elle lui porte, et les larmes qu'elle versera s'il disparaît. Et, plus on s'enfonce dans le Mal, plus il devient nécessaire d'idéaliser le Bien et de sauvegarder sa pureté : de plus en plus pure, et de plus en plus loin de l'horreur, la femme réapparaît en fin de compte – ou en fin de conte – comme *cause ultime* de la guerre : « Mais (poursuit Hector) je m'inquiète moins, pour l'avenir, de la douleur des Troyens, et d'Hécube même, ou du roi Priam, ou de mes frères qui, nombreux et braves, tomberaient dans la poussière sous les coups des guerriers ennemis, que de ta douleur, à toi, quand un Achéen vêtu de bronze t'emmènera, toute en pleurs, mettant fin pour toi aux jours de liberté [...]. Mais que je sois mort, et qu'un monceau de terre me recouvre, plutôt que d'entendre tes cris et de te voir entraîner ! » (VI, 447 et s.)

La guerre moderne, en remplaçant le héros individuel par des armements mirobolants, ne devrait-elle pas avoir rendu caduque cette structure du récit ? Comment se fait-il que la rhétorique de la force et du sacrifice perdure, alors que les véritables décisions militaires sont prises dorénavant par des hommes dont nous ne voyons pas le visage et qui ne participent même pas à la « gloire » de l'action ? La rhétorique est peut-être devenue creuse, mais elle tient le coup parce que la guerre n'a jamais été et ne sera jamais un phénomène purement social ou politique : la douleur de perdre un être cher est toujours une douleur personnelle ; les larmes ne seront jamais versées pour des sous-marins ou des missiles antichars mais toujours pour des êtres de chair et de sang.

Il était une fois, dans un pays lointain, c'est-à-dire dans la Chine du VIe siècle avant notre ère, un général génial (puisque de tels monstres existent) nommé Sun Tse. Pour prouver que ses principes d'entraînement militaire pouvaient transformer même « des lâches et des faibles » en guerriers implacables, il proposa d'inculquer lesdits principes aux courtisanes du roi. Le roi lui confia donc cent quatre-vingts de ses femmes, dont ses deux favorites qui prirent la tête des troupes.

Avec une patience infinie, Sun Tse expliqua aux princesses les premiers éléments de son art : un coup de tambour, vous vous tenez en alerte ; deux coups, vous effectuez toutes ensemble un demi-tour vers la droite ; et ainsi de suite. Mais, dès qu'il donna le signal du commencement de l'exercice, les femmes éclatèrent de rire. Sun Tse reprit ses explications avec une minutie encore accrue, mais à chaque coup de tambour les femmes rirent de plus belle.

Sans perdre son sang-froid, le général les informa qu'elles venaient de transgresser les lois de la discipline militaire et que ce n'était pas une faute légère. Il annonça son intention de décapiter les deux favorites. Un messager qui assistait à la scène courut informer le roi de ce qui allait se passer. Effaré, le roi interdit formellement à Sun Tse de procéder à l'exécution, mais le général répliqua calmement qu'il ne mériterait jamais la confiance de son chef s'il ne menait pas à bien la tâche qu'il s'était fixée. Ainsi les deux princesses eurent-elles la tête coupée par le sabre de Sun Tse en personne, à la suite de quoi les autres femmes effectuèrent les mouvements requis dans un silence de plomb.

Ça, c'est une chute.

L'histoire raconte ensuite que le roi bannit Sun Tse pour avoir détruit ce qu'il possédait de plus précieux au monde ; cependant, quelques années plus tard, lorsqu'il eut une guerre à mener, il fit rappeler le général et leva sa disgrâce.

La moralité que l'on tire habituellement de cette histoire, c'est que Sun Tse était un général d'un génie vraiment exceptionnel.

Ce que j'en retiens, moi, ne peut sans doute pas s'appeler une moralité, étant donné que la moralité ne peut se décider qu'à la fin. Ce que je retiens vient du milieu du récit, *avant* que la loi du plus fort ne s'abatte pour immobiliser le cours des événements. Ce que je retiens de l'histoire de Sun Tse, c'est le rire des femmes. Le rire de cent quatre-vingts courtisanes chinoises traverse les siècles et me fait croire qu'elles avaient peut-être une autre moralité en tête, avant que les têtes ne tombent.

Une fois dans l'Histoire, au moins – si cette histoire est « vraiment vraie » – les femmes auront réagi à la mascarade militaire avec des rires au lieu des pleurs. Est-ce parce qu'elles en sont mortes qu'elles n'avaient pas raison ? Est-ce parce que toute vie se termine par la mort que la mort doit avoir raison de la vie ? Ces femmes ont dit non, elles ont ri au nez de l'inéluctable, elles ont refusé de collaborer dans la tragédie, elles l'ont dénoncée pour ce qu'elle est : un théâtre de l'absurde.

Adapté de mes chapitres dans *À l'amour comme à la guerre. Correspondance* (en collaboration avec Samuel Kinser), Seuil, 1984.

BIBLIOGRAPHIE ET CRÉDITS*

Sauf exception, la traduction des textes anglais est de moi. Le lieu de publication est Paris sauf indication contraire.

Adam, S., *Pour une poignée de boudin*, Ramsay, 1977.

Adler, P., *Home pour hommes*, Presses de la Cité, 1954.

*Alain, *Mars, ou la guerre jugée*, © Éditions Gallimard, 1936.

*Antelme, R., *L'espèce humaine*, © Éditions Gallimard, 1957.

Bair, D., *Simone de Beauvoir*, traduit de l'anglais par Marie-France de Palomera, Fayard, 1991.

Barnes, D., *Ryder*, St Martin's Press, 1956.

*Barthes, R., *Mythologies*, © Éditions du Seuil, 1957, coll. «Points Essais», 1970.

*Bataille, G., *L'érotisme*, Éditions de Minuit, 1957.

*— *Ma mère*, © Pauvert, département des Éditions Fayard 2000, 1966.

Beauvoir, S. de, *Le deuxième sexe*, Gallimard, 1949.

*— *Lettres à Nelson Algren, un amour transatlantique (1947-1964)*, traduction Sylvie Le Bon de Beauvoir, © Éditions Gallimard, 1997.

— *La vieillesse*, Gallimard, 1970.

*Blanchot, M., *Lautréamont et Sade*, Éditions de Minuit, 1949.

Bleuel, H.P., *Strength through Joy : Sex and Society in Nazi Germany*, Londres, Secker & Warburg, 1973.

*Bonaparte, M., *Mythes de guerre*, P.U.F., 1950.

Brownmiller, S., *Against Our Will : Men, Women and Rape*, Penguin Books, 1976.

---

* Note de l'éditeur : *Les titres précédés d'un astérisque renvoient à des citations à l'intérieur du texte, qui ont reçu l'aval des différents éditeurs détenteurs des droits de reproduction.*

Broughton, Ph. S., *Prostitution and the War*, Public Affairs Pamphlet, n° 65, 1942.

Bullock, A., *Hitler, a Study in Tyranny*, N. Y., Harper, 1952.

Burgess, W., *The World's Social Evil*, Chicago, Saul Bros., 1914.

Carlier-Détienne, J., «Les Amazones font l'amour et la guerre», *L'ethnographie*, 1980-1981.

Carter, D., *Sin and Science*, Bombay Current Book House, 1950.

La chanson des Nibelungen, tr. fr. Colleville & Tonnelat, Montaigne, 1944, © Éditions Flammarion.

Chesler, Ph., *Women and Madness*, New York, Avon Books, 1972.

Cioran, E. M., *Œuvres*, Gallimard, coll. « Quarto », 1995.

*Cohen, A., *Belle du Seigneur*, © Éditions Gallimard, 1968.

*Confiant, R., Chamoiseau, P. et Bernabé, J., *Éloge de la créolité*, © Éditions Gallimard, 1989.

Duras, M., *Un barrage contre le Pacifique*, Gallimard, 1950.

*— *Hiroshima mon amour*, © Éditions Gallimard, 1960.

— *L'amant*, Éditions de Minuit, 1984.

— *La douleur*, Gallimard, 1993.

*— *Le Navire Night*, Éditions Mercure de France, 1978.

*— *La vie matérielle*, © P.O.L., 1994.

*— *Les yeux verts*, Petite bibliothèque des Cahiers du Cinéma, Éditions de l'Étoile, 1996.

*— *L'homme assis dans le couloir*, Éditions de Minuit, 1980.

*— *La maladie de la mort*, Éditions de Minuit, 1983.

— *Emily, L.*, Éditions de Minuit, 1987.

*— *Détruire, dit-elle*, Éditions de Minuit, 1969.

*Eliot, G., *Le moulin sur la Floss*, traduit de l'anglais par Alain Juneau, 2e partie, ch. 4 © Éditions Gallimard.

Évangile selon Saint-Matthieu, tr. fr. Louis-Isaac Lemaître de Sacy (XVIIᵉ s), Éditions du Serpent à plumes, 2001.

*Fleutiaux, P., *Allons-nous être heureux ?*, © Éditions Gallimard, 1994.

*Fornari, F., *Psychanalyse de la situation atomique*, © Éditions Gallimard, 1969.

Frazer, J., *Tabou et les périls de l'âme*, Genthner, 1929.

French, M., *The Women's Room*, N.Y., Jove Books, 1978.

Freud, S., « Thoughts for the Times on War and Death » (mars-avril 1915), *in The Standard Edition of the Complete Psychological Works of Sigmund Freud*, Hogarth Press.

Gary, R., **Les trésors de la mer rouge*, © Éditions Gallimard, 1971.

— *Pour Sganarelle : recherche d'un roman et d'un personnage*, Gallimard, 1965.

*Hérodote, *Histoires*, tr. fr. P. E. Legrand, collection des Universités de France, Les Belles Lettres, Paris, 1970.

Hirschfeld, M., *The Sexual History of the World War*, New York, Falstaff, 1937.

*Homel, D., *Un singe à Moscou*, © Actes Sud / Leméac, 1995.

*Homère, *L'Iliade*, tr. fr. E. Lasserre, Garnier-Flammarion © Éditions Flammarion, 1965.

Jünger, E., *La guerre, notre mère*, Albin Michel, 1934.

*Kayser, W., Barthes, R., Hamon, P., Booth, W., « Qui raconte le roman ? » in *Poétique du récit*, coll. « Points Essais », © Éditions du Seuil, 1977.

Kimball, N., *Her Life as an American Madam, By Herself*, N. Y., MacMillan, 1979.

La Bruyère, Jean de, *Les caractères*, Éditions Gallimard, coll. « La Pléiade », 1951.

Lacroix, P. (pseud. Pierre Dufour), *Histoire de la prostitution*, Séré, 1851-1853.

L'Aulnaye, M. de (pseud.), « Erotica Verba », *in* Rabelais, *Œuvres complètes*, Th. Desœur, 1820.

*Laure, *Écrits de Laure*, © Pauvert, 1977, département des Éditions Fayard 2000.

*Linhartova, V., « Pour une ontologie de l'exil », discours prononcé à Prague en décembre 1993 lors du colloque *« Paris-Prague : intellectuels en Europe »*, publié dans *L'Atelier du roman*, n° 2, © Éditions Flammarion.

*Loraux, N., « Les Héros et les mots », in *L'Homme,* vol. XXI, n° 4, 1981, © EHESS.

*Lorenz, K., *On Aggression*, N.Y., Bantam, 1967. *Das sogenannte Böse*, © 1974, 1998 Deutscher Taschenbuch Verlag, Munich/Germany.

Malinowski, B., *The Sexual Life of Savages*, Londres, Routledge & Sons, 1929.

*Mara, *Journal d'une femme soumise*, © Éditions Flammarion, 1979.

Montagu, A., *Man and Aggression*, N.Y., Oxford University Press, 1973.

— *Learning Non-Aggression*, N.Y., Oxford University Press, 1982.

O'Connor, F., *Mystery and Manners – Occasional Prose*, Londres, Faber & Faber, 1972.

*Ondaatje, M., *Les fantômes d'Anil*, tr. fr. Michel Lederer, © Éditions l'Olivier – Le Seuil, 2000, pour la traduction française, coll. «Points», 2001.

Pirandello, L., *Feu Mathias Pascal*, tr. fr. Henry Bigot, Les Presses du Compagnonnage, Ed. Rombaldi, 1904.

Quezada, N., *Amor y magica amorosa entre los Aztecas*, Mexico, Universidad Nacional Autonoma de Mexico, Instituto de Investigaciones Antropologicas, 1975.

*Réage, P., *Histoire d'O*, © Pauvert 1954, département des Éditions Fayard 2000.

Richepin, J., postface à J.-G. Domergue, *Livre rouge des atrocités allemandes*, Vaugirard, 1916.

*Rilke, R. M., «Lettre à Lou Andréas-Salomé du 8 août 1903», in R. M. Rilke, *Œuvres 3 Correspondance*, © Éditions du Seuil, 1976, pour la traduction française.

*Rushdie, S., Interview parue dans *Brick, a literary journal*.

Sade, D.A.F. de, *Juliette ou les prospérités du vice*, UGE 10/18, 1969.

Sarraute, N., *L'ère du soupçon*, Gallimard, 1956.

Sartre, J.-P., *Les mots*, © Éditions Gallimard, 1964.

*— *Scénario Freud*, © Éditions Gallimard, 1984.

— *La nausée*, Gallimard, 1938.

— *L'être et le néant*, Gallimard, 1943.

— *Les chemins de la liberté*, Gallimard, 1982.

— *Huis clos – Les mouches*, Gallimard, 1976.

*— *Qu'est-ce que la littérature ?*, © Éditions Gallimard, 1964.

*— *Sartre*, film de A. Astruc et M. Contat, texte intégral, © Éditions Gallimard, 1977.

Schreiber, H.O.L. (pseud. Luju Bassermann), *The Oldest Profession : A History of Prostitution*, Londres, A. Barker, 1967.

*Sebbar, L., *Lettres parisiennes : autopsie de l'exil* (en collaboration avec N. Huston), J'ai lu, 1999, © Éditions Flammarion, 1993.

Serge (Maurice Feaudiere), *Filles du Sud et képis blancs*, Éditions Beaudinière, 1952.

Sicot, M., *La prostitution dans le monde*, Hachette, 1964.

Stein, G., *Wars I Have Seen*, N.Y., Random House, 1945.

Stiehm, J., « Women and the Combat Exemption », *in Parameters, Journal of the U.S. War Army College*, vol. X, Londres, n° 2, 1980.

Strachey, A., *The Unconscious Motives of War*, Londres, Hillary, 1957.

Sun Tse, *Treize articles sur l'art de la guerre*, préface : « Vie de Sun Tse », Librairie de l'Impensé Radical, 1971.

Tabet, P., « Mains, outils, armes », *L'Homme*, EHESS, juillet-décembre 1979.

Tanning, D., interview avec John Glassie, 11 février 2002, publiée sur le site web salon.com : « Oldest Living Surrealist Tells All ».

Tolstoï L., *L'adolescence*, tiré de *Enfance-Adolescence-Jeunesse*, traduit du russe par Sylvie Luneau, © Éditions Gallimard, 1975.
— *Résurrection*, traduit du russe par Edouard Beaux, Gallimard, 1946.
— *La mort d'Ivan Illitch*, traduit du russe par Françoise Flament, éd. Françoise Flament / Gallimard, 1997.
— *La Sonate à Kreutzer*, traduit du russe par Sylvie Luneau et Boris de Schloezer, Gallimard, 1974.
*— *Un cas de conscience*, traduit du russe par Z. Lvovsky, Stock, 1935.
— *Le bonheur conjugal*, traduit du russe par Sylvie Luneau et Boris de Schloezer, Gallimard, 1974.
— *Puissance des ténèbres*, traduit du russe par Oscar Metenier et Isaac Pavlovsky, Calman-Levy, 1883.
— *Qu'est-ce que l'art ?* traduit du russe par T. de Wyzewa, Perrin, 1898.
— *Résurrection*, traduit du Russe par Sylvie Luneau, Gallimard, 1974.
— *Le père Serge*, dans *Souvenirs et récits*, traduit du russe par G. Aucouturier, E. Beaux, J. Fontenoy, S. Luneau, B. Parain, P. Pascal, B. de Schloezer, Gallimard, 1960.

— *Correspondance,* © Éditions Bernard Grasset, 1957. (Cf. p. 94, 95, 103, 107, 108, 109)

Tolstoï, S., *Journal intime (1862-1900),* tome 1, avec l'aimable autorisation des Éditions Albin Michel, 1980.

—*Journal intime (1901-1919),* tome 2, Albin Michel, 1981.

Toole, F.X., *Rope Burns,* Londres, Vintage, 2001.

Van Gennep, A. *Les rites de passage,* Mouton et La Maison des Sciences de l'Homme, 1969.

Veale, E.J.P., *Advance to Barbarism,* N.Y., Devin Adair, 1968.

Vernant, J.-P., Introduction aux *Problèmes de la guerre en Grèce ancienne,* Mouton & Cie, 1968.

Virgile, *L'Énéide,* traduit du latin par André Bellesort, Les Belles Lettres, 1974.

Weiner, A., *La richesse des femmes, ou Comment l'esprit vient aux hommes,* Seuil, 1983.

*Wittig, M., *Les guerrillères,* Éditions de Minuit, 1969.

TABLE DES MATIÈRES